ちくま新書

アフリカ経済の真実 ―

埋

吉田 敦
Yoshida Atsushi

1504

アフリカ経済の真実——資源開発と紛争の論理【目次】

第5章　絶望の国のダイヤモンド

はじめに

†「絶望の大陸」から「希望に満ちた大陸」へ

かつて「絶望の大陸」として語られてきたアフリカは、二一世紀にはいり「希望に満ちた大陸」へと変貌をとげたと言われている。

絶え間のない政治的混乱、頻発する内戦、永遠に目覚めることがないかのように低成長を続ける経済……。そのようなアフリカのイメージは消失して、代わりに一二億を超える膨大な人口（加えて若年層が多数を占める人口ボーナス）と高い経済成長に牽引される「希望に満ちた大陸」として描かれるようになった。

実際に二一世紀にはいってからのアフリカの経済成長率には、目を見張るものがあった。二〇〇一年から二〇〇八年までの経済成長率は、アフリカ全体の平均は五・五パーセントで、これは同じ期間の世界の経済成長率の平均四・三パーセントを上回る高水準であった。また各年ごとに見ても、すべての年でアフリカが世界の経済成長率の平均値を上回っていた。そして二〇〇九年以降も、世界金融危機の影響により一時的な経済成長率の減速が記録されたものの、二〇一三年から二〇一七年に至るまで概ね三パーセント台の堅調な水準を維持してきた（数値はＩＭＦ統計資料）。

米国に本拠をおく戦略系コンサルティング会社のマッキンゼーは、この時期のアフリカ経済を「動き始めた獅子《しし》」と評している（Mckinsey, 2010）。これまで深い闇のなかで眠り続けてきたアフリカがついに目を覚ました。「すでに八六〇〇億ドルに膨れあがったアフリカの消費市場は、将来も拡大が見込める。ビジネスチャンスを摑むのに、各国企業は乗り遅れるな」というわけである。

このようなアフリカに対するポジティブなイメージが描かれているのは、投資会社のマーケット調査報告だけではない。メディアが報じるアフリカの評価も一変した。イギリスの『エコノミスト』誌は、アフリカについて、二〇〇〇年五月号に「希望のない大陸」（The Hopeless Continent）と冠した特集を組んでいたが、その一一年後の二〇一一年一二月号の特集は「希望に満ちた大陸」（The Hopeful Continent）だった。そのイメージを一八〇度転換させたのである。

日本においても、「最後の市場」「成長する資源大陸」等々をタイトルに冠した、アフリカ経済を好意的に評価する書籍が続々と刊行されている。このように二一世紀にはいり、アフリカに対するポジティブな見方が、広く一般に共有されはじめているのである。

†消費市場としてのアフリカ

マッキンゼーや『エコノミスト』誌の例のようにアフリカがプラスのイメージで語られるようになった背景には、高い経済成長に牽引された消費市場の拡大がある。

ユニリーバ市場戦略研究所は、南アフリカの中・高所得者層を「ブラック・ダイヤモンド」と呼び、購買力の増加と旺盛な消費意欲を賞賛する（Unilever Institute of strategic Marketing, 2007）。アフリカの各地で大型ショッピングモールが建設され、外国製の日用雑貨（衣料品、靴・鞄）や耐久消費財（自動二輪車、家電製品、家具等）の旺盛な消費がみられるのも確かだ。

テレビや生活家電の販売数の急激な拡大が続き、いまやアフリカの人口の半数が携帯電話かスマートフォンを所有していると言われている。あるいは、ネスレやダノンの加工食品やユニリーバの衛生用品などの売り上げ規模の増大等々、民間企業によるアフリカ市場への積極的な参入とその消費の爆発は、確かにアフリカの現状の一部を表していると言えそうだ。

視点をふたたび国家レベルに移して、アフリカの経済成長とならび、好調が続いている貿易額や投資額の動向をもとに、次のような「希望に満ちた大陸」アフリカを描きだすことも可能であろう。

まずは貿易額である。サハラ以南アフリカにおける輸出額は、二〇〇〇年の八二一億ドルから二〇一六年には一六五一億ドルへと倍増し、輸入額は同じ期間に六六二億ドルから二一六六億ドルへと三倍以上の伸びを示している。くわえて外国直接投資額も大きく増加しており、アフリカへの直接投資の流入額は、二〇〇〇年の八一億ドルから二〇一六年には六〇〇億ドル近くにまで大きく増加した。

その結果、アフリカの市場は、貿易を通じて世界各国からの輸入品であふれかえるようになり、また外国企業によって大量の資本が投下され続けている。

これが、国際社会が評価するアフリカの「希望に満ちた大陸」の姿である。確かに、現在のアフリカは、九〇年代までの状況とは大きく異なっている。潜在的な購買層の発掘が見込めるアフリカの市場は、飽和状態に達している先進国市場と比べても、企業にとって魅力ある投資先へと変化し始めているのかもしれない。

†もうひとつのアフリカ

しかし、本当にアフリカの経済や社会はそのように良いことずくめなのだろうか。

アフリカは本当に「希望に満ちた大陸」に生まれ変わったのか。これが本書の問題設定のひとつである。

本書が描きだすのは、企業にとってのビジネスチャンスやリスクがどこにあるのかといった、いわゆる「最後の市場」としてのアフリカの姿ではない。

そうではなく、市場原理や自由競争にもとづくグローバルな経済統合がアフリカ市場を飲み込もうとしているなかで、いまなお絶望と悲しみの淵に取り残され続けているアフリカの人々の姿である。

もしかしたら、本書の試みは、悲観的なアフリカ像の再生産として、もしくは「第三世界」の焼き直しとして、読者に凡庸な印象を与えてしまうかもしれない。

しかしながら、本書では、そのように決して明るくない話をしなければならない。なぜなら、アフリカが誰にとっての「希望に満ちた大陸」であるのか、ということを問わなければならないからである。アフリカは、原料供給先の確保やさらなる消費市場を獲得しようとする企業にとって「希望に満ちた大陸」であるのか。それとも国際機関や先進国政府による「さらなる市場の自由化」という勧告にしたがって、貴重な資源や土地を切り売りする政治家たちにとってなのか。それとも、日々の生活の糧を得るために、自らの命を危険にさらし続けなければならない人々にとってなのか。

これらの問いに答えるためには、現在のアフリカでどのような開発政策がおこなわれており、そしてその結果どのようなことがアフリカの地で生じているのかを考える必要がある。

†外国投資の真実

先ほど、アフリカへの直接投資の流入額が、約六〇〇億ドルに増加したと指摘した。この数字だけをみれば、アフリカへの投資を計画しようとしている企業にとっては、もしくは市場の自由化を通じた外国投資の促進を政策目標に掲げるアフリカ諸国の政治家たちにとっては、賞賛すべき数字として捉えられるに違いない。だが、そのように急増する外国からの直接投資がどこに向かっているのか、少しだけ立ち止まって考えるならば、その評価はたちまち輝きを失ってしまうだろう。

たとえば、二〇一六年の外国直接投資の受け入れ国のトップは、アフリカ最大の産油国であるナイジェリアである。次に、近年急速に石油開発が進むガーナやコンゴ共和国、鉱物資源の開発が注目されているマダガスカルが肩を並べる。さらに深海油田の開発で石油の生産量が急増を続けているアンゴラ、レアメタルやダイヤモンドなどの貴石類を豊富に産出しているコンゴ民主共和国などの国名があげられている。つまり、いずれの国もアフリカ有数の資源国なのである（後ほど説明するが、これらの国は同時に、紛争やクーデターなどの政治的不安定性を抱える国々でもある）。

すなわち、外国企業がアフリカにもっとも期待しているのは、アフリカ諸国で暮らす人々の創造性や彼らが生み出す付加価値に富んだ商品ではなく、依然として石油や天然ガス、鉱物資源などの地下天然資源なのである。

特に、二〇〇〇年代後半の原油・天然ガスや鉱物資源の国際市場価格の高騰を背景にして、アフリカで未開発のままに眠る豊富な地下資源は、世界的な注目を集め、国際資本による資源開発が本格化した。

そのような外国資本による資本集約的投資によって、アフリカの各地には「砂漠のなかで最新の工場群が乱立する光景」や「森林を切り拓き、鉱物資源を採取し続ける巨大な採掘場」が出現した。これを輝かしい発展と捉えるならば、確かにアフリカは「希望に満ちた大陸」であると言えるだろう。

だが、本書はそのような視点をとらない。私が注目したいのは、これらの石油や鉱物資源の開発によってアフリカの人々にいったい何がもたらされたのか、もしくは、もたらされなかったのか、失われたのか、ということなのである。

†外資による収益は人々に富をもたらさない

なぜそのようなことに注目するのか。それは、一国のマクロ経済変数（経済成長率、貿易総額、直接投資額）がいかに改善されようとも、それが外からもたらされた収益（外生的収益）によるものである限り、産業の多様化や国民の生活水準の向上に直接に結びつけるのが困難だからである。

そればかりか、硬直的な政治権力構造をさらに肥大化させ、独裁的な政治体制の構築や補強へとつながってしまうケースが多々見られる。外からもたらされた収益は、その国が抱えている病をますます進行させてしまう可能性をはらんでいるのだ。

あえて誇張を恐れずに表現すれば、そこにあるのは、地中深くに眠っていた資源をベルトコンベアに乗せて、そのまま先進国の生活を支える原材料として提供し続ける「富の移転プロセス」である。読者のなかには、企業による資源投資によってアフリカにも利益があるのではないかと考える方もいるかもしれない。もちろんこの「富の移転プロセス」では、アフリカの国々にも資源採掘によって得られた外貨収益の一部がもたらされることになるが、その収益の多くは、その国に暮らす国民の助けとなるわけではなく、一部の特権階級に流れ落ち、彼らをますます肥大化させてしまっている。

このような現状が多くの国でみられているにもかかわらず、果たして今まで述べてきたような開発を、アフリカにとっての「発展」と呼ぶことができるだろうか。

†「新自由主義」に飲み込まれるアフリカ

冒頭で述べたように、かつてのアフリカは「絶望の大陸」と語られていた。国際社会では、アフリカの貧困は、「開発の失敗」としてしばしばみなされ、近代化を成し遂げるうえで障害となる「病」として問題視されてきた。そして、その「病」を癒す「万能薬」とされているのが、外国企業の投資を通じた「市場の自由化」であった。

ではなぜ、アフリカは「市場の自由化」を迫られるようになったのか。

かつてアフリカ各国は、先進国に政治的にも経済的にも従属しない国民国家の建設を目指してきた。その過程で、多くの国では「市場の自由化」とは真逆の政策をとってきた。すなわち、自分たちの製品は自分たちで生みだそうという、国営企業を中心とした中央集権的な社会主義政策が採用されてきたのである。だが、これらの計画経済にもとづく国民国家の建設は、一九八〇年代になると膨大な借金だけを残して行き詰まってしまった。その際に、ＩＭＦや世界銀行などの国際機関から求められたのが、非効率な国営企業の解体（民営化）や「市場の自由化」に向けた一連の経済政策（農産物の自由化、公共投資の見直し、政府補助金の廃止など）であった。これらの経済政策は、融資条件としての金融の引き締め政策の枠を超えて、政治構造や社会構造の変革を目指す「構造調整政策」と呼ばれた。この政策は、アフリカの三八カ国以上で実施され、大きな社会変動をまきおこした。

その結果、アフリカは大きく変わっていった。続く一九九〇年代、アフリカ各国は、市場経済の原理にもとづく「新自由主義」の荒波に完全に飲み込まれていく。そして、二〇〇〇年代にはいるとアフリカ各国の政治指導者たちも、世界を席巻する「新自由主義」という「万能薬」の効用を信じ、グローバリゼーションの「積極的な推進主体」へと変貌していった。

制度的な基盤が整わないなかで、「新自由主義」を受け入れざるを得なかった国では、急速な市場経済化から生じた歪みが、そこかしこで表面化することになり、その歪みは、ときにはテロや紛争といった暴力的なかたちで顕在化した。

自らの国家のヴィジョンを描くこともままならず、グローバリゼーションの歪みでテロや紛争が生じ、そして人々が市場競争から取り残され、貧困と絶望のなかで手足をもがれたまま「沈みゆく大陸」――これがアフリカの本当の姿なのである。

†本書の構成

繰り返しになるが、本書の目的は、国際社会が賞賛するアフリカの経済成長や投資機会といった、いわばアフリカ経済の光の部分を描くことではない。そうではなく、アフリカに依然として残る影の部分を描き出すことを、この本の使命としたい。影の部分とは、アフリカでおこなわれている石油やダイヤモンドの採掘、鉱物資源採掘が、その国にどのような問題をもたらしているのか、その国で暮らす人々がどのような問題や苦悩を抱えて生きているのか。日本をはじめとして我々が暮らす先進諸国とアフリカとのつながりを考えながら、各章ごとに具体的事例を検討し、いまのアフリカで何が起きているのかを考えていきたい。各章の考察事例は次のとおりである。

第1章では、グローバル経済が進展するもとで、「向こう側」（アフリカ）に住む人々が、「こちら側」（先進国）の人々の欲望にいかに影響を受けているのかを考える。この章は理論的な話が多いため、やや難しく感じられる方は、より具体的にアフリカ各国の政治経済状況を解説している第2章以降から読み進めていただきたい。第2章では、サハラ・サヘル地域という過酷な気象条件のなかで、貧しい資源を分かち合いながら暮らしてきた人々が、なぜ、なんら主権を持つこともできずに国家から排除されたのか、そして他国の傭兵《ようへい》としてしか生きる術をもたなくなり、周辺地域の治安を脅かすほどの暴力的主体へと変貌してしまったのか、ということを考えたい。

第3章では、インド洋に浮かぶ、多様で豊かな自然環境に恵まれたマダガスカルをとりあげる。二一世紀にこの国で起きた政治的混乱の理由はどこにあったのか、過酷な労働条件のもとで地中深くに眠る宝石を掘りださなければ人々の生活が成り立たないのはなぜか、ということを考察したい。

第4章では、フランスの植民地支配から、多くの人民の命を犠牲にして独立を獲得したアルジェリアをとりあげる。アルジェリアでは、独立以降六〇年以上にもわたり、日量一六〇万バーレルもの石油を産出し続けている。それにもかかわらず、なぜ、いまなお町中に失業者が溢れ、政権に対する民衆の憤りが爆発するレベルにまで達してしまったのか。アルジェリアの歴史と人々が耐え忍んできた苦悩を通して考えたい。

さらに第5章では、アフリカ中南部に位置し、世界有数の資源大国であるコンゴ民主共和国に注目する。世界中の人々を魅了してやまないダイヤモンドや現代の先進技術産業に不可欠なレアメタルを提供し続けているこの国で、豊富な資源をめぐって殺し合いが続いているのはなぜなのか。

最終章である第6章では、栄養不足と飢えに苦しむ人々が存在する傍らで、他国の家畜の飼料用に大量生産されるトウモロコシの畑について考える。アフリカでは、そのような目的でトウモロコシ畑をつくるために、人々が無償で土地を提供しなければならない国が増えている。それはなぜなのか。そのしくみについて考えたい。

五四カ国もの国（西サハラを含めると五五カ国）にわかれ、多様性に富んでいるアフリカを一言で表すことは、もとより不可能である。だが本書では、いくつかの国の現実の姿をしっかりと捉え、そこにアフリカ諸国に通底する問題、語られざる「もうひとつのアフリカ」の姿を描きだすことを課題としたい。お付き合いいただければ幸いである。

第 1 章

紛争と開発

内戦終結後の南スーダンで放棄された戦車（著者撮影）

1 世界の「こちら側」と「むこう側」の論理

†アフリカは日本と無縁の世界か

悲惨な紛争や殺戮《さつりく》、深刻な飢餓や貧困……そのようなアフリカの出来事は、自分たちにはまったく関係ない、多くの日本人はそう思って暮らしている。

たとえば「アフリカ・コンゴ民主共和国の紛争　死者は二五〇万人」という記事をスマートフォンで目にしても、その惨事の大きさに多くの人が実感を持てない。おそらくスマートフォンをカバンのなかにしまった瞬間、そのニュースは忘れさられてしまうだろう。これは、アフリカに関するどのニュースでも同じで、私たちはあたかもアフリカが自分たちとは無縁の存在だと思っているかのようだ。日本という「こちら側」の世界と、略奪や殺人、誘拐や紛争など凶暴な暴力に満ちたアフリカという「むこう側」の世界――私たちは、そのように区分し、それを当然のように思って生きている。

なぜ、そうなのか。

まず、日本からアフリカまでは、直線距離でだいたい一万キロ以上離れている。たとえばマダガスカルに行くには、飛行機で一三時間近くかけてパリに向かい、そこからさらに首都のアンタナナリボまでは一〇時間のフライトを覚悟しなければならない（もちろん、ドバイなどの中東地域を経由することも可能である）。そのように物理的な距離があるから、アフリカで紛争が起きたとしても、日本に住む人たちの日常は直接的には危険にさらされない。遠いアフリカでの出来事は、日本人にとっては別世界の出来事なのだ。

また、紛争が起きている国や貧困の中で暮らしているアフリカの人たちと知り合いという日本人は、ほとんどいない。アメリカの哲学者で貧困問題もテーマとしているトマス・ポッゲは、次のように述べている（ポッゲ二〇一〇）。

単調な重労働を週七二時間しても三〇ドルも稼げない境遇にある人の誰とも我々は面識がない。貧困と関連した原因で死ぬ人々は人類の三分の一を占めるが、その中には我々が今までに一緒に時間を過ごしたことがある者は誰も含まれていない。また、これらの故人たちと知り合いで今でも気にかけている者も我々は誰も知らないのだ。

この言葉を読んで、「自分は違う」と言える人がどれだけいるだろうか。私たちは「向こう側」の彼らのことを知らないのだ。

このように日本とアフリカは、距離的にも心理的にも遠く離れた存在である。それは、二つの列車が並走している状況に似ている。乗っている列車の窓から、離れて走っている列車の中の様子を眺めることはできる。だが、そこで起きているのは、あくまで別の列車の中での出来事であり、それは私たちの列車ではない。二つの、決して交わることのない世界。私たちは、日本とアフリカをそんなふうに見ているのである。

†私たちは関わりあっている

しかし、実際には「むこう側」の世界は、「こちら側」の世界と大きく関わっている。たとえば、日本とアフリカとの間の経済的な結びつきをあらわす貿易額がどのように変化してきているのかをみてみたい。日本とアフリカの間の輸出入の合計額は、二〇〇〇年の一兆円から二〇一八年には一・九兆円へとほぼ倍増している（またエネルギー資源価格が高騰した二〇〇八年には三・六兆円を記録した）。日本の貿易総額は一六四兆円にも達しているので、その額と比べれば、まだまだわずかな水準にとどまっているが、それでも日本とアフリカとの間ではたくさんのモノが輸出入されている。

アフリカから輸入されているものはどのような商品だろうか。主要な輸入品では、まず石油や天然ガスなどのエネルギー資源や、先端産業に不可欠な希少金属（レアメタル）などの鉱物資源が上位を占めている。そしてコーヒーやカカオ、バニラ豆等の農産物、タコやイカなどの海産物も大量に輸入されている。こうして具体的な貿易商品の例をみてみると、アフリカが現代の日本にとって一定の貿易パートナーであるということが、実感されるのではないだろうか。

さて、このアフリカと日本との間の貿易が伸長しているという事実は、とても良いことと思われる。しかし、単純にそうとも言い切れない。「日本で利用されたり販売されたりする商品のために、膨大な数のアフリカの人々が犠牲になっている」からである。

具体例をいくつか挙げてみたい。

たとえば、ダイヤモンド。一九九〇年代後半以降、国際NGO（グローバル・ウィットネス、ヒューマン・ライツ・ウォッチ等）が主導して「紛争ダイヤモンド」問題が国際的イシューとなった。日本を含む各国の高級宝飾店のショーウィンドウで飾られているダイヤモンドの一部の原石は、じつはアフリカの内戦のさなか反政府武装勢力が支配地域で採掘したものであり、これは彼らの資金源となり、紛争を長期化させていた（第5章参照）。

たとえば、花屋の店先に並ぶ真っ赤なバラ。最近、安価で手にはいる海外産のバラが日本の市場に出まわるようになった。実はこの海外産のバラの半分近くが、アフリカ産である。一九九〇年代まではケニアがアフリカ最大のバラの栽培地であったが、近年ではケニアに続き、エチオピア産のバラが大量に日本に輸入されるようになった。だが、外国企業ができるだけ安価なバラを栽培して輸出しようとするために、現地では様々な問題が生じている。エチオピアでは、土地が外国企業に買われ、小農たちが強制的に立ち退きを迫られ、極めて安価な労働力を利用した切り花の栽培がつづけられている（アフリカの土地収奪の問題については第6章を参照）。

もちろん、これらの事例は、日本の消費者や企業が、鉱山や農園で働くアフリカの人々を弾圧したり、殺害したり、直接的に暴力を行使しているというものではない。だが、直接に暴力を行使せずとも、日本の消費者がアフリカで生産されたモノを消費することで、アフリカの人々が搾取されたり、土地を奪われているとしたら、そこには何らかの暴力が介在していると言えないだろうか。

†間接的暴力が介在する世界

国際政治学者のヨハン・ガルトゥング（Johan Galtung）は、暴力の形態にはふたつの種類があると指摘している。ふたつの種類の暴力とは、行為主体（個人や集団）が特定でき、他人の肉体を損傷させるような直接的暴力と、行為主体が特定できず、間接的、潜在的なかたちで行使される間接的暴力である。

前者は、武力紛争や戦争などの事例を思い浮かべればわかりやすいだろう。ある個人が銃を乱射して人々を殺害すれば、それは直接的暴力である。あるいは、ある国が他の国に爆弾を投下して死傷者がでれば、これも直接的暴力といえる。

一方、後者は、社会構造のなかに組み込まれている暴力を指しているので、少々わかりづらい。行為主体と被害者との関係が直接結びついているわけではないからだ。

たとえば、誰かを喜ばせるために店先で売られている花束を買う。そのこと自体は悪意をもたない個人的消費に過ぎない。だが、そうした消費の結果、切り花を栽培している国で人権侵害や貧困が助長されてしまっているとしたら、そこには間接的暴力（ガルトゥングは「構造的暴力」と呼んでいる）が働いているということだ。

この間接的暴力は、日本でごく普通の日々を送っている人々にとっては、みえにくい種類の暴力であるし、だれか特定の個人を名指ししてその責任を問うような性質のものではない。

だが、我々の消費や行動のつみかさねの結果、アフリカでなんらかの間接的暴力が行使され続けているのであれば、その社会構造にどのような問題があるのか、すこしだけ立ち止まって考える必要があるのではないだろうか。

本章では、この間接的暴力を中心にアフリカでの紛争問題について考えていきたい。

まず次節では、一九九〇年代から二〇〇〇年代にかけてアフリカでどれほどの規模の紛争が起こってきたのかを概観する。アフリカで起きてきた武力紛争自体は、直接的暴力である。だが、そのような紛争を引き起こした要因はどこにあるのか。そして、アフリカでの紛争を、その国の内部で完結する直接的暴力の問題に限定するのではなく、グローバル化や国際市場を通じて我々が関わっていることとして考えてみたい。

次に、アフリカでおこなわれている「開発」について理論的な側面から考えてみたい。「開発」という概念は、暴力とは無関係のものと思われるかもしれない。一般に「開発」という言葉には人々の暮らしを改善させ、平和な社会を築くために生産力を増強するという積極的な意味が含まれるからだ。もちろん、「開発」のもつそのような側面は否定できない。

しかし、現地の人々の暮らしの安定を揺るがしているような「開発」がおこなわれているとしたら、それは一種の暴力と言えるのではないだろうか。

国際社会は過去、そして現在も、アフリカに「開発」を要求し続けている。アフリカは貧しく、政治的に不安定な国々を多く抱えているが、同時に世界が渇望する資源が眠ったまま（＝未開発）の大陸でもある。世界中から呼びかけられる「開発」の掛け声は、アフリカ社会に大きな「歪み」を生じさせている。その「歪み」とはどのような性格のものであるのか。「開発」が負の現象を生みだしているとしたら、それはどうしてなのだろうか。「開発」という外部の圧力によって、アフリカにどのような間接的暴力が行使されているのかを考えてみたい。

2 アフリカの紛争をどのように捉えるか

†多発する紛争

かつてアフリカは紛争の多発地帯と呼ばれていた。冷戦終結後の一九九〇年代から二〇〇〇年代初頭にかけて、多くの武力紛争が勃発してきたからである。そして、以下で説明するとおり、近年のアフリカでは再び武力紛争が増加傾向にある。

アフリカでどのくらいの数の武力紛争が発生してきたのか。その大まかな傾向をみていくために、ここでは紛争研究分野でしばしば参照されるスウェーデンのウプサラ大学平和紛争研究所が作成する紛争データプログラム（UCDP）のデータから確認していきたい。

図1－1のグラフは、アフリカで発生した紛争件数の年ごとの推移を示している。冷戦終結から間もない一九九一年と、現代アフリカ史上最悪の紛争といわれる第二次コンゴ内

戦が発生した一九九八年は、アフリカだけで一七件もの紛争が発生していた。この時期、世界で発生していた武力紛争のうち三分の一がアフリカに集中していた。アフリカが紛争多発地帯と呼ばれていたのもうなずける数である。

こうした状況は二〇〇〇年代にはいると変化がみられ、九〇年代に勃発した多くの紛争が終息にむかった。二〇〇五年には七件にまで低下している。だがその後、二〇一〇年にチュニジアから中東諸国に波及した「アラブの春」の政治変動や、サヘル地域での紛争および政情不安の結果、アフリカでの紛争の発生件数は再び増加に向かう。そして、二〇一五年、二〇一六年、二〇一八年では、アフリカの紛争件数は、過去最大の二一件を記録するにいたった。

ここで補足しておかなければならないのは、図1-1に示したデータは、実はアフリカでの紛争や暴力の氷山の一角に過ぎないということである。なぜならば、この紛争件数は、「政府が関与した紛争」のみの統計データであるからだ。

統計データが煩雑となるために、本書では詳しくあつかうことはできないが、アフリカでは政府が直接かかわっていない紛争も多発している。

たとえば、図1-1では、何らかの武装勢力が非武装の市民に対しておこなう一方的殺戮・虐殺などの事例はカウントされていない。また、非政府武装勢力間の武力対立――正

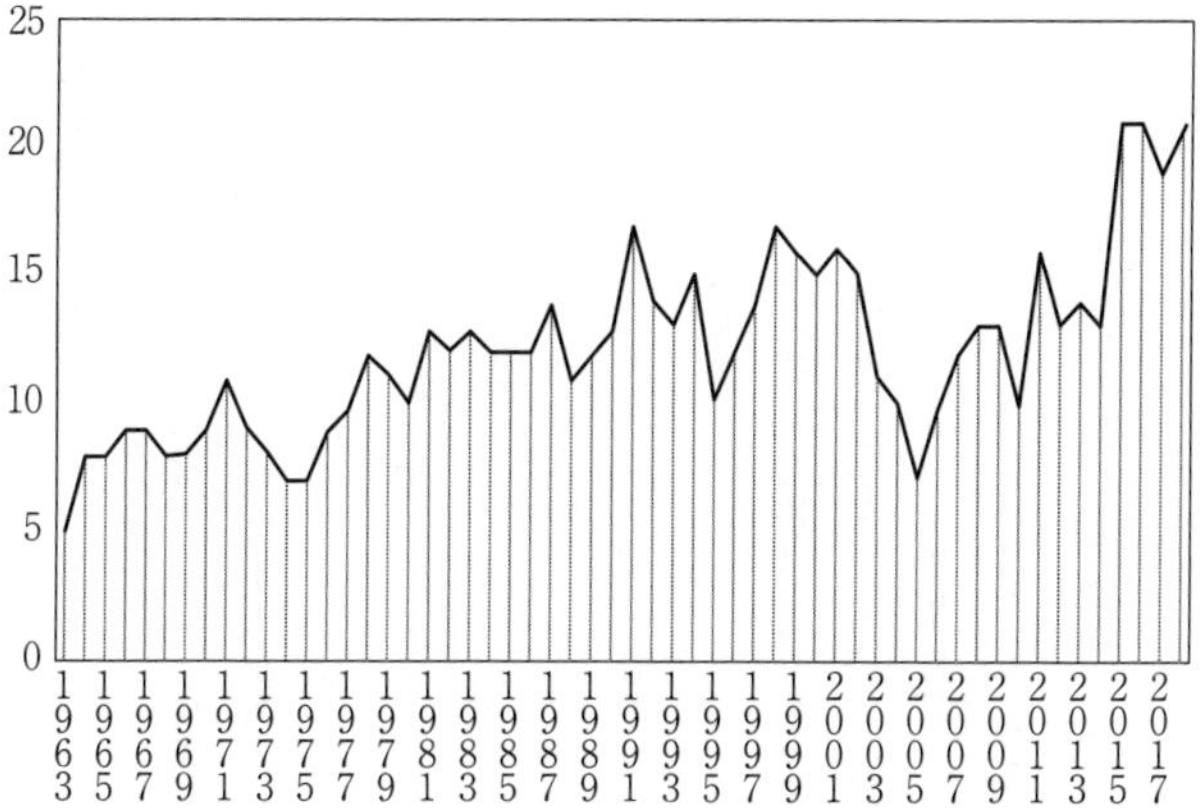

図1-1　アフリカにおける紛争件数　出所：UCDPの統計から作成

規の軍人ではない民間人を軍事要員として編成した民兵同士の紛争や違法ドラックの密売などにかかわる犯罪組織間の縄張り争いなど——は含まれていない。最近は、UCDPでもこのような政府が関与していない紛争データの整備が進んできており、一九八九年以降にかけてはこれらの紛争データも参照可能ではある。だが、紛争は各国ごとの特殊な事情が複雑に絡み合って発生するため、研究機関ごとに統計数値のばらつきがあり、その正確な把握は困難であるのが実情である。

いずれにせよ、ここで言えることは、アフリカが依然として世界のなかでも紛争や組織的な暴力が多発している地域であるということだ。

†紛争の犠牲者たち

ひとたび紛争が勃発すると、戦闘員だけでなく、膨大な数の一般市民も犠牲になる。アフリカの紛争における、市民を含めた犠牲者の推定数は、コンゴ民主共和国の内戦（一九九六〜九七年、一九九八〜二〇〇三年）で二五〇万から三九〇万人、シエラレオネ内戦（一九九一〜二〇〇二年）で五〇万人、リベリア内戦（第一次）で二五万人（一九八九〜九六年）、スーダン内戦（第二次）では二〇〇万人（一九八三〜二〇〇五年）。そしてルワンダ内戦（ジェノサイド、一九九四年）では、一〇〇万人がわずか三カ月足らずで虐殺された。最近では、リビア、スーダン、中央アフリカなどでも紛争が起こっており、市民を含む多数の犠牲者がでている。

紛争による間接的な影響も無視できない。紛争あるいは迫害を逃れて、国内避難民（IDPs）あるいは難民となる人々の数は、増加の一途をたどっている。

国内避難民の数は、一九九七年の一七四〇万人から増加をつづけ、二〇一五年に四〇〇〇万人を超えた（図1-2）。そのうちアフリカは最大の国内避難民発生地域であり、その数は一六五〇万人に達する。とくに、コンゴ民主共和国（推定三〇八万人）、ソマリア（一一六五万人）、ナイジェリア（二二二万人）、スーダン（二〇七万人）、南スーダン（一八七

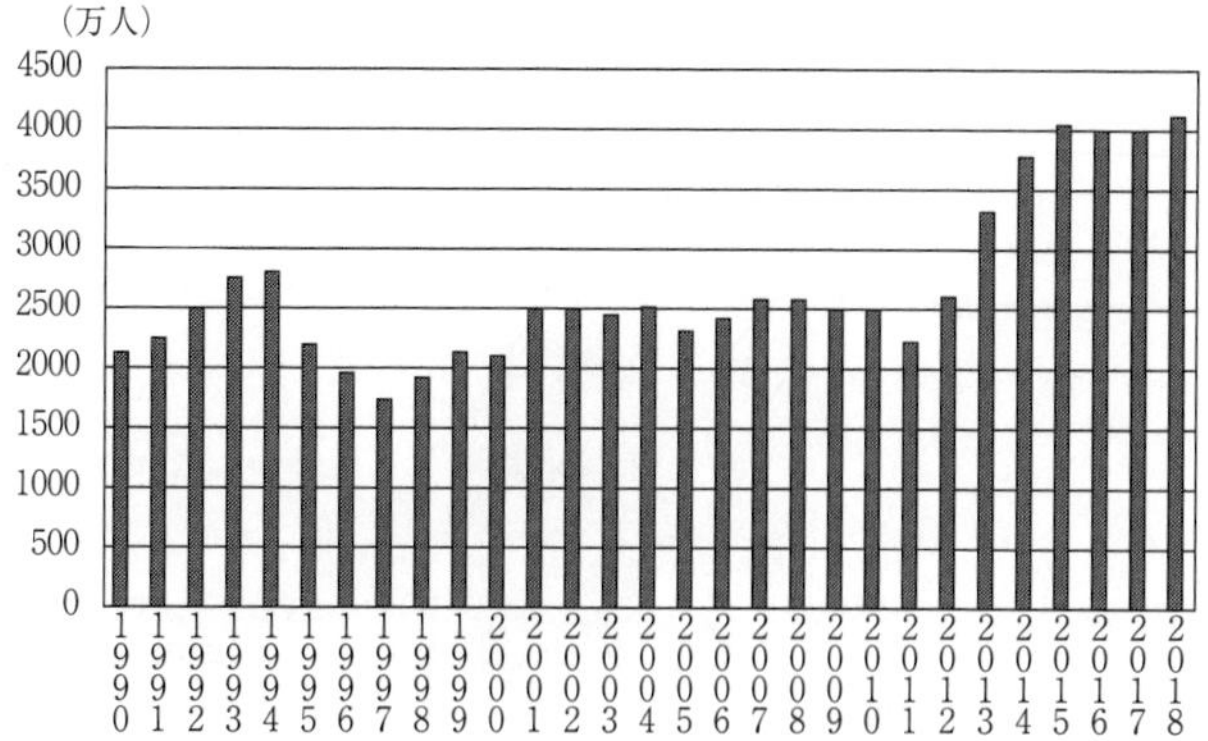

図1-2　国内避難民（IDPs）の推移（1990〜2018年）　出所：IDMCの統計から作成

万人）といった紛争経験国／政治不安定国に集中している。北アフリカにおいては、カダフィ政権崩壊後に無秩序状態に陥ったリビアで二二万人の国内避難民が発生している（図1-3）。

また、紛争や政治不安に陥った国から国境を越えて脱出しようとする人々、すなわち難民も膨大な数に達する。国連難民高等弁務官事務所（UNHCR）の報告書によれば、二〇一七年末時点の難民の数は世界全体で約二〇〇〇万人に達している。そのうち、サハラ以南アフリカでの難民は六二七万人であり、おおよそ難民の三人に一人がこの地域出身ということになる。

さらに、アフリカに近接するヨーロッパは、かねてからアフリカから押しよせてくる不法移民の問題に頭を悩ませてきた。とくに、地中海をはさんでヨーロッパの対岸に位置する北アフ

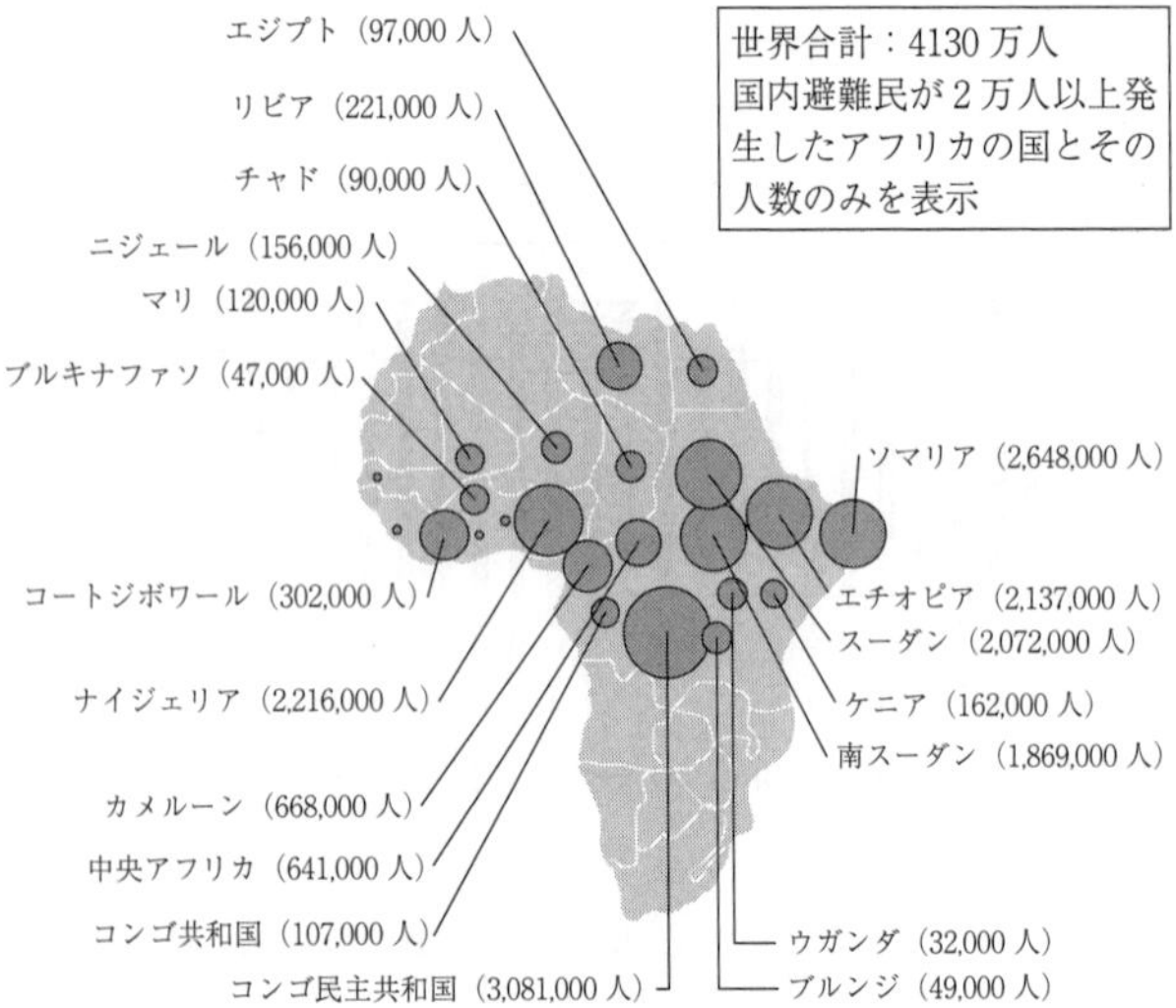

図1－3　アフリカにおける国内避難民の地理的分布（2018年末時点）
出所：IDMC の統計から作成

リカは、不法移民の集積地となっている。ヨーロッパとアフリカを隔てている距離がもっとも近接するジブラルタル海峡（スペインとモロッコ間）はわずか一四キロ、リビアのトリポリからイタリア領のランペドゥーザ島までは二九〇キロほどである（最近の不法移民の主要経路となっている）。

北アフリカから地中海をわたれば、そこには、ヨーロッパという「黄金郷《エルドラド》」（すくなくとも不法移民の人々はそう思っている）が待っている。決死の覚悟で脱出をはかろうとする彼らの数は膨大である。国際移住機関（ＩＯＭ）の統計によれば、北アフリカからヨーロッパへ渡る不法移民の数は、毎年一五〜一八万人にも達している。そして、地中海を渡る途上で溺死《できし》した死者数は、二〇一四〜一七年の四年間で、一万五〇〇〇人を超えている。アフリカ大陸からの脱出を夢見た多くの人々が、深い絶望のなかで次々と暗く冷たい地中海のなかに沈んでいるのである。

二〇世紀は「戦争の世紀」と言われてきたが、二一世紀にはいっても「平和の世紀」に変わる気配はないようだ。残念ながら確証をもっていえることは、世界のいたるところで、依然として多くの民衆が壮絶な暴力に遭い、住み慣れた場所を後にしなければならない現実に直面しているということである。

†アフリカの紛争の特徴

なぜアフリカでは、これほどまでに多くの紛争が発生し、多大な犠牲者を生んでしまっているのか。

この問いに答えるのは、なかなか容易ではない。アフリカの国々が政治的不安定な状態(クーデタや暴動の発生など)に陥ったり、テロや紛争が発生したりする原因を探るためには、その国ごとの歴史的文脈(植民地支配と独立後の政治体制)や民族対立など様々な要因をひとつひとつ解きほぐしていく作業が不可欠だからである。

この点に関して第2章以降では、いくつかの国や地域の事例をとりあげながら、その政治経済構造や資源開発の現状や紛争について考えていくことにしたい。したがって、ここでは、冷戦終結以降の国際情勢の変化やグローバル化の視点からアフリカの紛争問題の全体像をどのように捉えればよいのかを記しておきたい。

すでにみた通り、アフリカでの武力紛争の発生件数は、一九九〇年代から二〇〇〇年代初頭にかけて増加し、その後終息に向かったものの、近年（二〇一三年〜）では再び増加傾向を示すようになってきた。

このようなアフリカでの紛争件数の増大には、どのような特徴があるのだろうか。まず、一九九〇年代のアフリカで頻発した武力紛争の要因は、冷戦の終結という特殊な国際情勢の変化と、植民地独立期から試行されてきた「国家建設」という歴史的プロセスが一部のアフリカ諸国で挫折に終わったということにもとめられる。

そして、二〇一三年以降については、北アフリカからその南縁部（サヘル）にかけての地域が紛争状態、あるいは政治的に不安定な状態に連鎖的に陥ってしまった。現在、このサヘルがアフリカでの紛争のホットスポットとなっており、これが、アフリカ全体の紛争件数を大きく押しあげている。

このサヘルでの紛争や暴力の拡散の原因も、やはり「国家」がキーワードとなる。根底にあるのは、国家体制の崩壊、あるいは国家統治機能の著しい弱体化である。特定の国・地域で生まれた急進的イスラーム主義を掲げるテロ集団が、国内の統治能力が弱く国境管理が不十分な国へと国境を越えて伝播していった。そしてそれらの勢力が、離散と集結を繰り返しながら、周辺諸国の治安を悪化させているのである。

ある国の政治変動や統治能力の弱体化が暴力の拡散を招き、それがさらに周辺国の治安の悪化を引き起こす、という循環構造が生じているのだ。

†「国家建設」の挫折と紛争

一九九〇年代とはどのような時代であったのか。それは、第二次世界大戦後長らく続いてきた冷戦が終結し、アフリカを取り巻く国際情勢が大きく揺れ動いた時代であった。

周知のように多くのアフリカ諸国が、一九六〇年代に宗主国による植民地支配からの独立を果たした。それゆえ独立後のアフリカ諸国に課せられた政策目標は、政治的にも経済的にも宗主国から自立した国民国家(ネイション・ステイト)の建設であった。そのため一九七〇年代を通じて、旧宗主国などに依存しない政治・経済体制の構築が試行された。

だが、米ソ超大国の対立を基軸にして形成された第二次世界大戦後の国際秩序のもとで、植民地独立後の多くのアフリカ諸国では、国内統治のあり方や正統性を問われることなく、政治体制が構築されてしまった。すなわち、一人の人間に強大な権力が集中する独裁政権が長年にわたり維持されていようが、その独裁政権に反対する人々が何万人殺害されようが、国家としての体裁が維持されているかぎり、国際社会はそのようなアフリカの政治体制を黙認し続けてきたのである。

その最もわかりやすい例が、アフリカ中南部に位置するザイール（現コンゴ民主共和国）の事例である。詳しくは第5章で解説しているが、同国ではモブツ大統領を頂点とする独裁政権のもとで、国民は圧政に苦しみつづけるしかなかった。そのような独裁統治体制が維持できたのは、米ソの対抗関係という冷戦体制が、アフリカの国々に大きな政治的経済的影響力を与えてきたからである。

しかし冷戦の終結は、多くのアフリカ諸国において政治的な均衡バランスを崩壊させてしまった。アフリカ諸国のなかには国家の実効支配能力が大きく弱体化する国が発生し、「権力の真空」（power vacuum）状態に陥る国がでてきてしまったのだ。

要するに、冷戦期の超大国間の対抗バランスによって支えられてきたアフリカの「国家」という外殻が、冷戦終結という国際情勢の変化とともに崩壊し、独立後のアフリカ諸国が目指してきた「国家建設」がその途上において挫折してしまったのである。

いわゆる国際社会が「破綻《はたん》国家」や「失敗国家」と呼ぶ国々がアフリカで続発したのも、

この「国家建設」の失敗と無関係ではない。「国家」という容器を絶対的な権力者が力によって抑えこんできた重《おも》し蓋《ぶた》が外れ、その内部で、これまで蓄積されてきた不満が暴力的な手段をともなって噴出してしまったのだ。一九九〇年代にアフリカで紛争が多発してしまった原因の一端は、このような国際情勢の急激な変化にもとめることができよう。

すでにみたように、冷戦終結からまもない一九九一年には、アフリカだけで一七件もの紛争が生じている。加えて一九九〇年代のアフリカでは紛争発生件数だけでなく、その犠牲者の数も劇的に増大していった。この時期、アフリカ大陸で紛争に巻き込まれて犠牲となった人々の数は、少なく見積もっても五〇〇〇万人以上に達したと言われている。

なぜ、これほどまでの壮絶な暴力が行使されてしまったのか。

簡潔に言うと、冷戦終結後の世界でみられるようになった暴力が、これまでの戦争の論理では説明できない「新しい」暴力であったからである。この点については、イギリスの政治学者カルドーが提起した「新しい戦争」(new war) 論が手がかりとなる。

†「新しい戦争」の出現

カルドーの言う「新しい戦争」が、これまでの「古い戦争」と区別されるとき、そこにはどのような違いがあるのか。まずは、この点を確認しておきたい。

従来、戦争（「古い戦争」）とは、国境線に規定された主権国家間の軍事衝突を意味してきた。一八世紀のナポレオン戦争から二〇世紀には二度の世界大戦、さらにベトナム戦争などの例にあるように、戦争を遂行する主たる目的は「国益」を守ることや自らの支配下に置く領域の拡大であった。冷戦もまた、米ソ間の直接の武力衝突には至らなかったものの、イデオロギーおよび軍事的対抗関係の根底にあったのは、国家（または国家を基本単位とするブロック）であった。近代戦争の本質を規定したクラウゼヴィッツの『戦争論』では、「戦争は一種の強行行為であり、その旨とするところは相手に我が方の意思を強要することにある」としている。そして、この意思を強要する主体は、国家を前提としてきた。戦争ができるのは国家である、ということだ。なぜならば、国家のみが「正当な暴力を独占している」からだ。

だがカルドーが提起した「新しい戦争」では、この「国益」をめぐる軍事衝突のあり方が根底から覆っている。「新しい戦争」では、暴力を行使する主体は、国家だけではなく、様々な主体へと分散した。すなわち「新しい戦争」では、暴力を行使するのは、国家に属する正規軍だけでなく、準軍事組織（民間企業による傭兵部隊）、軍閥《ぐんばつ》、自警団、あるいは、テロ集団や犯罪組織など、これまでとは異なるアクターが登場しているのである。国家に直属しない非正規の軍事組織が、戦争の表舞台に登場したのだ。カルドーはこのような現象を、軍事力の「私有化」（privatization）と呼んでいる。お互いに敵対する国家が宣戦布告し、交戦し、終結するという、これまでの国家を単位とする戦争の論理が通用しなくなったのである。

このような国家に属さない非正規の軍事組織というと、アルカーイダやＩＳ（イスラーム国）のような急進的イスラーム主義勢力を思い浮かべるかもしれない。確かに、二〇〇一年の９・11以降、アメリカはアルカーイダのような非国家的集団を相手に戦争をおこなう「テロとの戦い」を宣言した。これは戦争の意味が、対等な国家と国家との戦争から国家と非国家集団との「非対称の戦争」へと移っていったことを意味している。

だが、カルドーが提起する「新しい戦争」は、アメリカとイスラーム急進派勢力との抗争だけを指しているのではない。そうではなく、この種の暴力は、冷戦後のグローバル化が進む世界のあちらこちらで生じるようになっているのだ。現代世界でおきている様々な紛争や暴力は、「グローバル化時代の新しい暴力」として捉えなおす必要がある。

アフリカもまた、この「新しい戦争」の例外地域ではなかった。カルドーの言うグローバル化とは、冷戦後に急速に進んだ世界的な相互依存の拡大と深化のプロセスを意味している。グローバル化は、これまでの近代国家の諸前提をあらゆる形で変容させていった。国内と国外を分けていた国境の役割や意味が大きく減退し、その区分が曖昧となり、これまで局地的に起きていた現象が、同時に国境を越えた地球規模の影響力をもつようになった。そして、世界は統合に向かうと同時に、様々な亀裂が生じるようになった。

ローカルとグローバル、国内と国外、統合と分裂……グローバル化とは、様々な相反する現象が、矛盾を孕《はら》みながらも同時進行するプロセスである。

そして、グローバル化は暴力にも大きな影響をおよぼした。グローバル化によって近代国家の前提が崩れた結果、先ほど述べたように暴力を行使する主体が多様化し、暴力の方法や手段、その目的までもが変化していった。「グローバル化時代の新しい暴力」はこのように描くことができる。

以上が、カルドーの提起する「新しい戦争」の基本的な考え方である。では、「新しい戦争」は、アフリカで生じてきた紛争問題について考えるとき、どのような視座を与えてくれるのだろうか。この点について次項以降で考えてみたい。

†「戦争経済」

冷戦終結後のアフリカでは、これまで外見的には「国家」としての体裁を保ってきた国の統治機能が低下して、武装勢力（非正規の軍事組織）の蜂起を誘引した。このようにして紛争状態に陥った国では、従来とは異なる「戦争経済」が見出されるようになった。

これまで（「古い戦争」の時代に）「戦争経済」という言葉は、国家による管理や統制のもとで、戦争を遂行するための資金や物資が集められるという、戦時下での統制経済を意味していた。だが、ここでの「戦争経済」の場合は、戦時下で資金や物資を集める主体は、国家ではなく非国家集団となり、その手段が大きく異なっている。

その典型的な事例は、アフリカのなかでもダイヤモンドや希少金属などの資源鉱床を多く保有する資源国でみることができる。政府の統制や管理が及ばない無秩序状態の国では、武装勢力は、容易に鉱床地帯を制圧し、そこで採掘された鉱物資源を密輸して、国際市場から資金や武器を調達することが可能となる。また、地域住民から略奪し物資を調達することも、武装勢力にとっては重要な経済活動の一部となった。そうして、武装勢力は紛争を継続するための「セルフ・ファイナンス」（自己資金調達）の手段を得たのである。「新しい戦争」のもとでは、しばしば、このような略奪や闇市場を通じた密輸による「戦争経済」を見出すことができる。

鉱山地帯の占拠の過程では、地域住民の虐殺や強制移住など市民を巻き込む大規模な暴力が行使された。九〇年代以降のアフリカの紛争で、武器をもたない一般市民の犠牲者が激増してしまった理由はここにある。

そして、非合法な経済活動で得た資金は、武器や兵士（一〇代の子供兵もしばしば動員された）を雇うためにも使われた。そうして闇市場を通じて資金源を得た武装勢力が戦力を強化する一方で、機能不全に陥り不十分な資金や物資しかもたない政府は、武装勢力の鎮圧がますます困難となる。この悪循環の結果、アフリカ諸国での紛争は長期化していった。

国内紛争というローカルな暴力行為が、非公式であるとはいえ、国際市場を利用したグローバルな経済と結びついていたという点が、アフリカの「戦争経緯」の特徴のひとつとなったのである。

†金儲けの機会としての紛争

この紛争と天然資源をめぐる研究は、一九九〇年代末から二〇〇〇年代初頭にかけて数多く発表されている。なかでも、世界銀行の研究者グループがおこなった紛争研究は大きな影響力をもつようになった。

代表的論客の一人であるポール・コリアー（Paul Collier）は、一九六〇〜九九年に生じた七八の大規模な紛争事例について、経済学的な「機会」と政治学的な「動機」の相関関係の有無を分析して、紛争が勃発する背景には、政治的な動機よりも特殊な経済的機会が強く働いていることを指摘した（Collier, 2004）。

すなわち、紛争には、従来考えられてきたような政治や民族・宗教対立といった「動機」よりも、資源を豊富に保有する国であり、管理体制が脆弱で資源を略奪しやすい状態（独自の軍事資金が調達しやすい）であることなどの経済的「機会」に対する武装集団の「欲望」（greed）が強く働いていると結論づけたのである。

紛争は、略奪可能な資源が眠っているような国で起きやすく、その国の政府機能が弱体化した場合、その資源が金儲けの機会（ビジネスチャンス）になるということである。アフリカで起こってきた紛争には、経済的な利益の追求という明確な動機が存在しているのだ。

†どのような国で紛争が起きやすいのか

紛争という暴力行為は、通常の経済活動を停止させ、経済成長を停滞させる。建物やインフラが破壊されれば、国家にとっての経済的損害は大きくなる。しかし制圧地域で略奪をおこなう武装集団や、非合法なネットワークを利用しながら国際市場で取引をおこなう貿易商にとって、紛争には一定の利益が見出される。

武装勢力が、レアメタルやダイヤモンド、金等の鉱物資源の採掘や、高級木材等の伐採ができるような地域を制圧し、国際市場への流通拠点を支配しつづけるためには、政府による統治がしっかりおこなわれていないような「崩壊国家」であることのほうが望ましい。

現在の武装勢力にとって目的は、既存の政治体制に代わる新たな政府を構築するような政治的イデオロギーを掲げて武力紛争を繰り広げることではなく、「戦争経済」によって特殊な経済的利益を見出すことにある。

また武装勢力だけでなく、その経済的利益には、政府でさえも関与する紛争ケースもみられた。政府が公然と密輸に関わっているような場合、本来敵対関係にあるはずの政府と武装勢力の間にも、武器の移転や全面戦争の回避等の（通常の戦争の論理からは逸脱した）協力関係がみられ、その結果紛争が長期化していることが、一部の研究者から指摘されている。

さらに、その国で産出される鉱物資源や換金性の高い作物が、どのような方法で手にいれることができるものなのか、ということも紛争発生と関わりがある。

アフリカで多くみられるような漂砂鉱床《ひょうさこうしょう》（鉱物資源が風化作用により砂礫や河川などに流れでて堆積された鉱床）で露天掘りで採掘されるダイヤモンドや貴石類、また栽培麻薬や木材等は、採掘に大規模な設備投資や高度な技術を必要とする石油、ボーキサイト、銅等とは異なり、広域にわたって産出・伐採され、政府による管理体制も不十分な場合が多い。そのため、武装集団や軍閥は、容易に資源産出地域（栽培地域）を制圧し、違法取引をおこなって、現金収入を得ることができる。このような「略奪可能な資源」（lootable resources）が多く産出される資源国では、統治機能が弱体化することで、資源収奪のインセンティブ（内的な刺激）が強く働き、紛争発生リスクを高めることにつながってしまうのだ。

†産油国では紛争が起こらないのか

天然資源に対する国家の管理体制が十分であるか否かは、確かに紛争の発生リスクの高さを左右する要因とはなるものの、そうではないケースもみられる。

たとえば、石油や天然ガスなどの炭化水素資源国の場合が、それにあてはまる。石油や天然ガスといった資源の採掘には、大量の資本と高度な設備投資を必要とし、そのような資源は国家運営に直接関わる重要な戦略資源に位置付けられ、国家による厳格な管理下におかれている。

第4章で詳述するとおり、アルジェリアは、植民地からの独立以来、長年にわたり豊富な炭化水素資源（石油・天然ガス）の収益を中心に国家運営がされてきた。すなわち、前述した「略奪可能な資源」と紛争発生リスクという相関関係にあてはめて考えると、アルジェリアのような産油国では、紛争や政治的に不安定な状況が起こりにくいということになる。

石油や天然ガスといった天然資源の採掘事業は、コンゴ民主共和国やシエラレオネのダイヤモンド鉱床のような、鉱夫たちがスコップひとつで採掘できるようなタイプの資源ではないため、武装集団にはそれらの資源を略奪しようとするインセンティブが働きにくい。仮に、イスラーム急進派勢力が石油や天然ガスのプラントを制圧したとしても、そこで採掘される大量の石油や天然ガスを密輸して国際市場で売りさばくのは困難である（ただし、油送パイプラインを破壊して、そこから流出した石油を闇市場に流したり、周辺諸国に石油の横流しをする〔Smuggling と呼ばれる〕などの例は、アフリカの産油国で顕著にみられる）。

だが実際には、二〇一三年以降のサヘル地域の混乱を招いたイスラーム急進派勢力の源流をたどってみると、アルジェリアという産油国に行きつく。一九九〇年代のアルジェリアでは、イスラーム急進派勢力による国内テロが頻発し、内戦状態と言っても過言ではないほどに治安が悪化していた。

それでは、なぜアルジェリアという産油国で、後にサヘル地域一帯の安定性を揺るがすような過激な武装集団が生まれてしまったのだろうか。その答えは、以下で説明するような、多くの産油国の統治体制の欠陥に求められる。

†国境を越えた暴力の拡散

アルジェリアのような産油国では、絶対的な権力をもった政府・軍が国内の資源部門を管轄し、石油採掘から生じる収益の分配方法を決めていることが多い。具体的な産油国の政治経済構造の問題については第4章で詳しくみていくことになるが、ここで重要なことは、このような国では資源収益の再分配をめぐって国内に不満が蓄積されやすい、ということだ。

なぜなら、このような資源を独占的に管理している国では、資源採掘によって生じた利益がどのように使われているか、つまびらかに国民に開示されることはほとんどなく、その使途が不透明なことが多いからである。また、軍による支配力を強化するために、膨大な軍事予算を計上している国も多い。それゆえ、いくら国民が不満を抱いていようが、その不満は力によって抑え込まれてしまう。この状態は、対外的には均衡が保たれているようにみえる。だが、そうした社会は、実際は安定的とは言い難く、「あやうい均衡」のうえに成り立っているのである。

それゆえに、ひとたび国内情勢が大きく変化したり、近隣諸国での政治変動が発生したりすると、この力によって抑え込まれていた「あやうい均衡」は崩れ始める。そして、すでに飽和状態にあった不満が爆発して、暴動やクーデタを招いたり、ときには紛争にいたることになる。一九九一年にアルジェリアでイスラーム急進派勢力が出現し、その後国家体制を揺るがすような勢力へと拡大してしまったのも、また二〇一一年に長年にわたって産油国リビアで独裁政権を維持してきたカダフィ政権が崩壊してしまったのも、この点に理由を求めることができる。

いま述べたアルジェリアに出現したイスラーム急進派勢力は、一九九〇年代を通じて国内でのテロや外国人誘拐を繰り返してきた。しかし、アルジェリア軍による徹底的な掃討作戦によって大幅に戦力を削がれた後、次の新天地となったのがアルジェリア南部にひろがるサヘルであった。サヘルは、いわばアフリカのなかでも辺境地帯とみなされてきた地域であり、国境管理もなきに等しい。そして、マリでのトゥアレグの反乱と政府の統治能力の弱体化の結果、サヘルでイスラーム急進派勢力が再び台頭し、暴力が国境を越えて拡大と分散を繰り返すようになってしまったのである（第2章参照）。

3 開発と紛争

†なぜ貧困国では紛争が多発するのか

次に考えてみたいのは、外部からの影響、すなわち外からの「開発」という圧力が、その国の紛争や政情不安におよぼす影響についてである。

まず、アフリカで紛争が多発してきた要因について、研究者や国際社会がどのように捉えてきたのか、その傾向を説明しておこう。コリアーが先鞭《せんべん》をつけた資源開発と紛争に関する研究では、資源国であるかそうでないか、資源がどのような方法で採掘されているのかによって、その国の紛争の発生リスクが異なることが検証された。そして、カルドーが「新しい戦争」で指摘したように、アフリカで生じている紛争は、紛争当事国・周辺諸国だけの問題ではなく、先進国を巻き込んでグローバルなレベルで考える必要があると認識されるようになった。

その結果、国際社会のなかで、その秩序を乱す「ならず者国家」や「崩壊国家」が現れてしまった場合、国際社会はどのように対応するべきか、または、そのような国家を出さないようにするには、どうすればよいかという問題が浮上するようになった。

テロリストの巣窟《そうくつ》となった国や暴力が多発する国を国際社会は、放置することができなくなった、ということだ。もしくは、国際社会は、紛争経験国が再び紛争状態に陥らないためには、その国の統治能力（ガバナンス）の強化が不可欠であるという認識のもとで、国家の脆弱性に関する様々な評価・分析をおこなうようになった。グローバル・ガバナンス（世界規模での統治）の強化こそ、最も重要な課題であると認識したのである。

たとえば世界銀行は、二〇一一年版の報告書『世界開発報告――紛争、安全保障、開発』(Conflict, Security, and Development) のなかで、その国の統治能力と紛争との関係を論じている。

同報告書では、実際に武装勢力が割拠する「崩壊国家」だけではなく、その一歩手前の状態にある「破綻国家(失敗国家)」、統治能力の低い「脆弱国家」、また国内で高いレベルの犯罪的暴力が横行する諸国は、再び内戦状態に逆戻りするリスクが高いと指摘している。世界の国々は、「主権国家」→「脆弱国家」→「破綻国家」(失敗国家)→「崩壊国家」といった順で格付けが可能となるが、世界銀行によれば、政治的に不安定な国(主権国家以外)に住む人々は一五億人にも達しており、国際社会がこれらの国のガバナンスの向上を後押しする必要がある。

また、イギリス内閣府は、脆弱国家に対する開発アプローチとして、国家が不安定化するリスクを内生的要因と外生的要因に分けて、次のように指摘している。内生的要因とは、世銀の指摘と同様に紛争経験国であることや政情不安による経済的停滞、特定の鉱物資源・一次産品への依存状態、国内格差・不平等、人口動態(人口増加や急激な都市化)等である。

一方、外生的要因は、近隣諸国での治安の悪化や水・エネルギー資源をめぐる地政学的競争、組織犯罪及びテロリスト・ネットワークの活動状況、紛争資金へのアクセス状況、気候変動等である（U.K. Cabinet Office, 2005）。「脆弱国家」に分類される国々は、これらの内生的・外生的要因に対する耐性（レジリアンス）が低い。この耐性を強化することが必要であり、国際社会は、この後押しをしなければならないのである。

†「開発」による間接的暴力

以上のように、二一世紀にはいってからの国際社会は、アフリカではなぜ紛争が多発しているのか、という問いに対して回答を迫られてきた。導き出された答えのひとつが、貧困問題や統治能力（ガバナンス）の低さである。紛争の発生リスクを低くするためには、貧困率を下げなければならない、資源部門の管理体制の強化を図らなければならない、内生的要因や外生的要因を特定して、その国の耐性を高めなければならない等々、「未開発」なアフリカの諸国に様々な開発アプローチが講じられる必要がある。

このような文脈で使用されている「開発」という言葉は、その国の内部から生まれてくる現象というよりも、外からの働きかけによってその国のかたちを変えていこうというニュアンスが感じられる。アメリカの政治学者であるダグラス・ラミスは、「発展」や「開発」という言葉について、次のように述べている（ラミス二〇〇四）。

国Aは国策として国Bを発展《デヴェロップ》させる（開発する）、それが国Bの発展《デヴェロップメント》である。

ラミスが指摘する「開発」の概念をアフリカに置き換えた場合、どういうことになるだろうか。「アフリカにはまだまだ沢山の（開発されていない）資源が眠っている。一方で、その資源を欲している国は世界中に溢れている。だから、そうした資源を「開発する」べきであるし、それが、欲している国にとっても、資源国（アフリカ各国）にとっても、双方の利益につながるはずだ」となる。いわゆるウィン・ウィンの関係である。

このウィン・ウィンの関係は、関係する双方にメリットがあるとされるので、強力な説得力をもって語られる。

先進国にとってのメリットは、いうまでもなく必要な資源の供給先を確保できることだ。一方、アフリカにとってのメリットは、なにか。それは、国際機関の後押しを受けた「開発」を進めることで得られる資本、外国企業がもつ高い技術、舗装道路や上下水道などのインフラ整備等々、「開発」にともなう様々なメリットが享受できるということである。投資受入国政府に十分な予算がなかったり、その国の技術レベルが一定の水準に達していなかったりした場合、その国の政府は、国外の開発推進主体（外国企業や国際機関）に資金や技術を頼らざるを得ない。

これが「国Aが国Bを開発する」という言葉の持つ意味である。

しかし問題は、その際に途上国と外国企業との間で締結される投資要件（権益比率、ロイヤリティ、課税等）がどのようなものになるかである。技術も資本もない資源国では、大抵の場合、外国企業に有利な条件で結ばれる。開発主体と開発受入国の間には、あきらかな交渉力の差が存在しているのである。

たとえば国Bで、これまで発見されていなかった油田が新たに見つかったとしよう。油田を採掘した経験のない国Bは、自ら油田開発を実施する能力（資金力、技術力、制度枠組みなど）をもたない。だが油田を放置していては、永久に国Bの収益につながることはない。地中深くから原油を掘りだし、精製して、タンカーに積んで輸出するためには、たくさんの資本と高度な技術、そして湾港整備やパイプラインの建設、製油所の建設などのインフラ整備が必要である。さらに、資源部門を管轄する省庁（エネルギー鉱山省、規制監督機関）の設立や、外国投資の制度基盤の整備（投資庁などの設置）も必要となってくるだろう。

そのため国Bは、油田を「開発してくれる」外国企業を誘致することになる。そして、できるだけ参入障壁を低くする（生産分与契約で外資に優位な権益比率を保証したり、優遇減税措置や輸入関税の免除、労働基準・環境基準の緩和等）ことになる。

外国企業にとっては、様々なリスクを抱えながら巨額の投資をおこなわなければならないので、収益を最大化するためになるべく有利な条件で投資をおこないたいと考えるのは当然である。だが、そのような外からの「開発」が、国Bにどのような結果をもたらすことになるのか。粘土細工でつくりあげてきた彫像に外からもってきた金属部品をはめ込んでみても、統一感のとれた作品を完成させることはできないように、現地の経済水準にそぐわない異物が組み込まれた国家ができあがるだろう。こうして「開発」という外からの圧力によって、なにか違和感のある光景がアフリカで次々と生み出されるのである。

その違和感は、時には紛争や政治的な不安定性を国Bに引き起こしてしまう。アフリカを不安定化させている原因の一端は、実は「開発する」主体の責任でもある、ということである。

以上のような開発主体（国際社会、外国企業）と開発受入国（アフリカ）との関係は、医師と患者の関係に似ていないだろうか。

貧困や紛争、政治的不安定性という病におかされた患者（脆弱国家）を放置しておくことはできない。医師（国際社会）は患者（脆弱国家）を診断し、あらゆる方向から病因を解明したうえで、摘出手術（開発）をおこなわなければならない。紛争や貧困を扱う研究者や国際機関にとって、病気の原因を特定し、それを徹底的に取り除くことが開発の最大の使命である。

だが、この医師と患者、もしくは「国際社会」と「脆弱国家」という、主体と客体の関係性には大きな問題点が含まれている。それは、医師と患者が切り離せない関係にあるのに切り離して考えられているということ、さらに言えば、そもそも病気を生み出したことには、医師側の責任もあるという問題である。

†ダイヤモンドを欲するのは誰か

途上国で発生している紛争を客体化させ、経済合理的に説明可能な要因として分析したとしても、主体と客体が切り離された視点で語られる限り、紛争はあくまで「むこう側」の論理として留まらざるをえない。

客体である患者（紛争国や脆弱国家）を手術台に乗せ、様々な角度から病因を分析できたとしても、主体である執刀医（国際社会、開発主体）の責任や病因との関連は論理の枠外におかれたままなのである。

世界銀行のアナリストが、紛争の要因は、武装勢力の経済的動機、つまり暴力的に略奪することが可能な経済的「機会」（ビジネスチャンス）に対する人々の「欲望」にあると言うのであれば、同時に、先進国側の人々の経済的「機会」に対する「欲望」にも目を向ける必要がある。アフリカの「開発」が国際社会で声高に叫ばれるのはなぜなのか。「開発」にともなう様々なメリットがアフリカにもたらされると言いながらも、その利益を最も享受できるのが、他ならぬ我々、先進国側に住む人間だからではないだろうか。

ダイヤモンドを最も欲しいと感じているのは誰なのか。コバルトやニッケルなどを原料とする設備機器で快適で近代的な生活を享受したいと望んでいるのは誰なのか。紛争国で採掘されたレアメタルを精製・加工してつくられた耐熱性を有する電解コンデンサを利用した家庭用ゲーム機でゲームを楽しみたいのは誰なのか……。

これらすべての資源や原料を欲しているのは、ほとんどが「こちら側」に住む人間であり、「むこう側」に住む人間にはあまりいないだろう。無秩序な暴力に支配された途上国の「欲望」よりもはるかに強力で際限のない「欲望」を抱いているのは、先進国で近代的な生活を営む人々なのである。

ここで言いたいことは、特定の外国企業の経済活動を名指しして、その暴力性を批判することではない（企業もまた市場経済原理に従って活動するプレイヤーのひとつに過ぎない）。そうではなく、「開発」という言葉自体に含まれている暴力性をもう一度、立ち止まって考える必要があるということだ。「開発」には、我々が抱いているこのような「欲望」

を覆い隠し、すべての経済活動を正当化してしまうような強力な諸力が含まれている。それは、「成長」(＝GDPの数値の増大)や「近代化」という言葉に置き換えても大差はないだろう。

自己目的化した「開発」という名のもとでおこなわれる外国企業による資源採掘や農地開発が、その国の紛争や政情不安を誘発しているとすれば、そこには直接的ではなくとも間接的な暴力が存在しているのではないだろうか。

†「最後の市場」の含意

先進国に住む人々の欲望を充足する。そのためにアフリカに眠る未開発の資源を合法的に獲得するには、どのようにすればよいのか。自分たちが自由にその国で経済活動をおこなうことができるようにするには、どうすればよいのか。外国企業は考える。

武装勢力による略奪行為や非合法な貿易が蔓延する崩壊国家や内戦国では、活動が難しいのは勿論である。だが、そのような国でないとしても、国営企業がその国の利益を独占し、独裁政治がはびこる国では、外資は公正な競争をおこなうことができない。つまり、外国企業がその国で自由に経済活動をおこなえるようにするには、その国のなかに市場競争原理が確立されていなければならない。その国に残存する非効率な制度を排除して、国の隅々まで市場競争原理を貫徹する必要があるのだ。

なお、その市場競争原理にさらされる対象は、鉱物資源だけではない。たとえば国民経済とは無縁な、深い森のなかで自給自足の生活をしていた農村（開発の遅れた地域）は、多国籍企業にとって豊富な農業資源の潜在性が確認される「フロンティア（＝未耕作地）」とみなされるようになった。自給自足農業を営む途上国の農村の畑は、生産性が低い「低利用」の土地、あるいは「未利用」の土地とみなされる。このような土地を先進国の外国企業に売却（民営化）すれば、「未利用」の土地は、近代的な農法という、収益のあがる「最善の方法」（第6章参照）で利用することができる。

公的援助や慈善事業の対象としかみなされていなかった最貧困層も、四〇億人の消費市場を構成する所得ピラミッドの最底辺（BOP：Bottom of the Pyramid）として、多国籍企業が獲物を狩る「狩り場」として包摂される。

近年、アフリカは「最後の市場」と呼称されることがある。「最後の市場」の意味するところは、まだまだアフリカには先進国側にとっての経済的利益があがる余地が残っているということだ。

だが、その先に、調和のとれたバラ色の世界は待っているのだろうか。

グローバリゼーションがかつてないほどに進展することで、多国籍企業や国際金融機関は、世界のすみずみにまで資本のネットワーク構造を張り巡らすことに成功した。

アフリカの紛争地や深い森の奥にたたずむ無名の農村ですら、我々と接点をもたない「むこう側」の世界ではなくなっている。原料生産・供給基地の末端から先進国市場まで、そこに住んでいる人の立場がどうであれ、「開発」という目的のためであれば、そのすべてが肯定される世界が生みだされてしまったのである。

アフリカでは、外からの「開発」によって特定産業のみが肥大化した「いびつな」経済構造が固定化した国々が、そこかしこで散見される。この「いびつな」経済構造は、そのいびつさゆえに新たな歪みを生みだす。その歪みは、ときには民衆の暴動に、ときにはテロリストの自己正当化の論理に、ときには自国民同士が殺しあう内戦になって表出する。

そのような現実のなかで、アフリカに住む人々に対して、それでも我々は、「開発」という福音を説くことができるのだろうか。人類の進むべき道がそこにあるのならば、なぜ楽園は依然として実現しないのだろうか。本書を通して、考えていきたい。

第２章
混迷するサヘル

2016年3月にAQIMによる襲撃を受け、欧米人4人を含む16人が殺害された
コートジボワールのホテル、エトワール・ドゥ・スド（著者撮影）

1 激化する暴力の中心地

†サヘルはなぜ不安定な地域になってしまったのか

「サヘル」という地域を聞いたことがあるだろうか。

日本ではあまり聞きなれない地名であるかもしれないが、サヘルとは北アフリカのサハラ砂漠の南縁に広がる地域を指している。

第1章では、アフリカでは紛争件数が近年、増加傾向にあることやその要因について触れた。そのなかで近年ではサヘル地域がイスラーム急進派勢力のテロ攻撃や反政府武装勢力による反乱が頻発するホットスポットとなっていることを指摘した。

たとえば、イスラーム急進派勢力が関与した暴力・テロ事件の発生件数は、サヘルだけに限定すると、二〇一六年の九〇件から二〇一八年には四六五件へと、年を追うごとに大幅に増加している。以下でみていくように、治安の回復を目的とした国連の平和維持活動やフランス軍の軍事作戦の展開にもかかわらず、マリをはじめとする複数の国で依然としてイスラーム急進派勢力の活動が続いている。

なぜサヘルは、アフリカのなかでもテロが多発する不安定な地域になってしまったのか。そこでは、どのようなことが起こっているのか。

本章の目的は、サヘル情勢が混迷を深めていった原因の一端をさぐることにある。前半では、歴史的に周縁化されてきたトゥアレグと呼ばれる民族のマリでの反乱の経緯を考える。北部の分離独立を掲げたトゥアレグの反乱の結果、統治機能が大きく弱体化してしまったマリでは、イスラーム急進派勢力が台頭し、やがて周辺国にまで危機が伝播していく。この「統治されない空間」の拡大は、麻薬などの密売をおこなう組織犯罪ネットワークにとって最適な「聖域」を提供することにつながった。本章後半では、そういったサヘル情勢と麻薬取引との関係についても考えてみたい。

†一四万円で買われる命

アメリカのアフリカ戦略研究センターの報告書（二〇一九年）によれば、マリのイスラーム急進派勢力にリクルートされ、自爆テロを実行する若者が受け取る報酬は一三〇〇ドル（日本円で約一四万円、一ドルを一〇七円で計算　※以下、通貨の換算レートはすべて二〇二〇年五月二四日時点のもの）である。この額は、我々からすれば、命の代償として提示される額として、あまりに少ないように感じられるかもしれない。だが、サヘルに位置するマリでは、国民の半数以上が一日一・二五ドルの貧困ライン以下の生活を強いられている。さらに、首都バマコから離れた農村部ともなれば、その生活はさらに厳しい。電化率は一桁台、二人に一人が初等教育すら受けていない。世界のなかでも最も貧しい農村で生まれ育ってきた若者にとっては、彼らが提示する報酬は、身命を賭してでも手にいれたい「ひと財産」である。

マリで活動を続けているイスラーム急進派勢力は、この金銭的インセンティブを巧みに利用しながら、教育が行き届いていない農村で急進的なイスラーム主義を浸透させている。

ニジェールのウラン、マリの金鉱山、チャドの石油……、第1章で述べたように、アフリカ諸国には資源が豊富に産出する国が多くある。しかし、それらの国で暮らす大多数の人々の生活は貧しいままだ。

「豊富な資源を産出しているのに、我々の生活が改善しないのはなぜか。それは、国家が、そして外国企業が富を奪い続けているからだ」。イスラーム急進派勢力は、このような民衆の不満をくみ取りながらサヘル全域へと活動範囲を広げつつある。サヘルで起こっている負の連鎖の要因が、どこにあるのか、以下で考えてみたい。

†サヘルとはどのような地域か

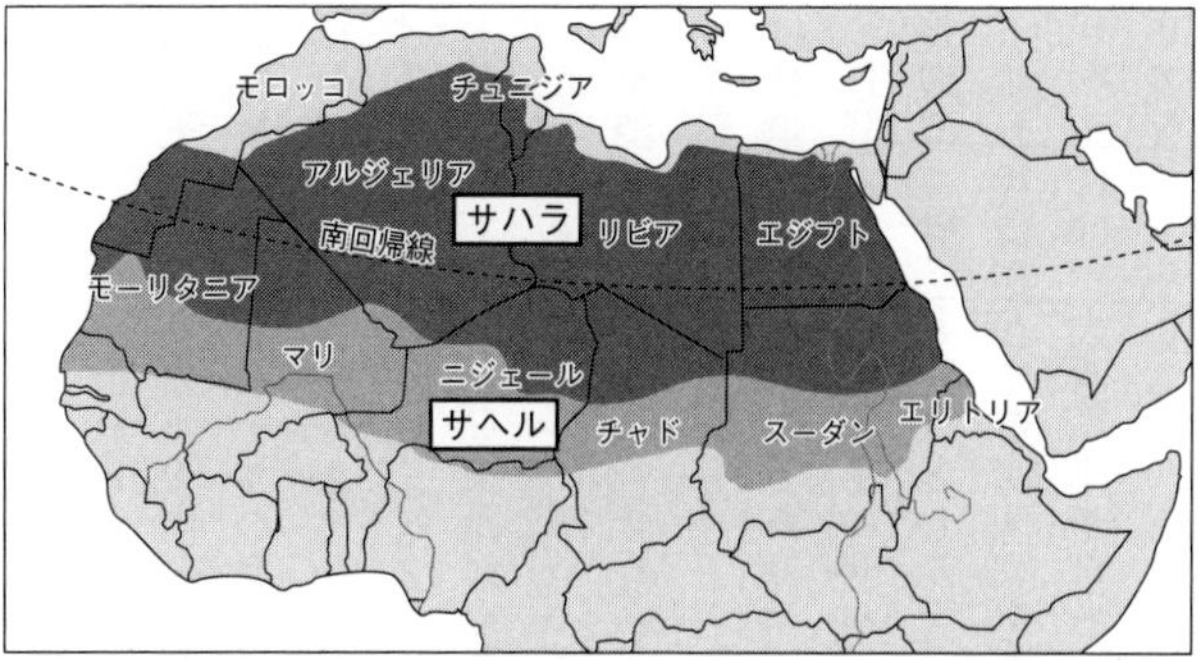

図2‐1　サハラ・サヘル地域　出所：ECOWAS-SWAC/OECD, *Atlas on Regional Integration in West Africa*, 2006を参考に作成

アフリカ大陸の北部一帯には、東西に約五〇〇〇キロメートルにおよぶ世界最大の砂漠、サハラ砂漠がひろがっている。そのサハラ砂漠の南縁にある帯状の地域がサヘルである。その面積は約三〇〇万平方キロメートル、日本の国土面積の約八倍にも相当する（図2‐1）。

サヘルは、アラビア語の「岸辺」を意味するサーヒル（sāḥil）を語源的由来とする。一方、サハラ（サハラーゥ：ṣaḥarāʾ）とは、「平坦な土地」や「砂漠」を意味している（したがって、日本で常用されている「サハラ砂漠」という呼称は、同じ意味の重複表現である）。サハラを広大な砂の「海」にみたてれば、それが終わる「岸辺」がサヘルということだ。かつて、この地域では、砂漠を縦断するラクダの隊商が「船団」となり、サヘルに点在するオアシス都市（マリ北部のトンブクトゥなど）は「港」の役割を果たしてきた。

イスラーム文化が浸透した八世紀から一六世紀頃にかけて、この地域ではガーナ王国、マリ王国、ソンガイ王国など数々の王国が栄えてきた。そして、同地域から大量の金や塩、奴隷などがサヘル・サハラを通って、ヨーロッパ大陸への玄関口である地中海世界へと運ばれていた。サヘルから南に位置するブラック・アフリカ（主に黒人〔ネグロイド〕が居住する地域）から、北アフリカのサハラ、さらに地中海を挟んだヨーロッパ大陸に至るルートを通じて、活発な長距離交易がおこなわれてきたのである。

だが、このサヘル・サハラを縦断する交易路は、歴史の移り変わりとともに表舞台から姿を消すことになる。すなわち、ヨーロッパ世界が西アフリカの大西洋岸（現在のセネガルやコートジボワールなど）を利用した海上輸送経路を開拓すると、内陸部の陸上輸送経路は衰退に向かったのである。

以降、二〇世紀後半にサハラ砂漠で莫大な石油資源が発見されるまで、サハラ・サヘル地域は、砂漠と荒涼とした大地がひろがる無主地（人の住まない地域）とみなされていた。

サヘルに存在する諸国家をあらためて地図上で確認してみたい。図2－1にあるようにサヘルには、大西洋岸からモーリタニア、マリ、ニジェール、チャド、スーダン、エリトリアなど、そしてサハラには、モロッコ、アルジェリア、リビアなどの北アフリカ諸国が含まれる。

これら諸国を規定する国境線の特徴は、定規で引かれたようにまっすぐな線がつづいているということだ。これは一九世紀末、ヨーロッパ列強が植民地化にあたり、その地で暮らす民族の居住範囲や地域的生態系、旧来からの交易ネットワークを無視して、アフリカ大陸全体を人為的に裁断したからである（高橋二〇一〇）。独立後のマリやニジェールといったサヘル諸国にも、この外部から与えられた国境線は引き継がれることになった。

この国境線は、地図上では確認できるものの、実際のその場所にはただただ広大な砂漠や岩石砂漠が広がっており、視界をさえぎるような障害物はない。モロッコからリビアまで地図上では総延長一万六七九四キロもの長い国境線がつづいているが、その国境線を管理することが事実上不可能であることは容易に想像できよう。

2 トゥアレグ——砂漠の支配者から無法者へ

†トゥアレグとは

混迷を深めているサヘル情勢をどのように捉えればよいのか。その作業は簡単ではない。

現在のサヘルには一〇以上のイスラーム急進派勢力が集結と離散をくりかえし、勢力間および政府との複雑な対立関係が存在するからだ。

だが、現在まで続くサヘル情勢の悪化は、大きく分けて二つの勢力の影響を強く受けたものといってよい。サヘル一帯を支配地域としてきた砂漠の民であるトゥアレグと、一九九〇年代のアルジェリアで創設されたイスラーム急進派勢力を源流とするAQIMである。

まずは、トゥアレグが、なぜサヘルで武装蜂起をしてきたのかについて考えてみたい。前節にて、西アフリカから地中海へ抜けるサヘル・サハラでは古くから長距離交易がおこなわれてきたことについて触れた。この長距離交易に従事してきたのが、トゥアレグと呼ばれる民族である。

藍色に染めたターバンを身に着け、ラクダを自在に操るトゥアレグは、「砂漠の支配者」と呼ばれることもあった。ドイツの自動車メーカーのフォルクスワーゲン社は、二〇〇二年に発売したSUV車にトゥアレグという名前をつけている。おそらくは、トゥアレグという民族が有する卓越した機動性が名前の由来となったのであろう。

しかしサハラ諸国の当局にとって、トゥアレグは「砂漠の支配者」ではなく、「無法者」「ごろつき」と蔑まれ、疎んじられる存在であった。

「アフリカの年」と呼ばれた一九六〇年、一七カ国もの国々が宗主国から独立を果たした。

図2－2　セネガル北部に広がる荒涼とした大地　出所：著者撮影

サヘル諸国も他のアフリカ諸国と同様にフランスから独立を果たし、国家建設と国民統合の道のりを歩み始めていた。このときマリやニジェールは、地理・気候条件からいって、農耕可能なエリアがニジェール川やセネガル川流域の南部地域に限られており、また首都（バマコ〔マリ〕やニアメ〔ニジェール〕）も南部に位置することになった。それゆえに両国とも政治や経済機能は、南部を中心にして開発されていった。

　一方、マリとニジェールの北部地域、サハラ砂漠からみると南縁にひろがるサヘルは、丈の低い灌木《かんぼく》がまばらに植生するひび割れた大地がひろがっている（図2－2）。この広大かつ不毛の地にトゥアレグは居住しているが、その人口は、マリでは約五〇万人（全人口の三パーセント）、ニジェールでは二一〇万人（全人口の一〇パーセント）に過ぎない。

少数民族であることに加え、定住地を持たず、自由な移動生活を続けていたトゥアレグは、中央政府にとっては「砂漠の無法者」であり、マリやニジェールの国家建設プロセスから排除され続けてきた。このトゥアレグが抱き続けてきた不満について、西アフリカの政治研究を専門とするピエール・イングルバート（Pierre Englebert）は、次のように指摘している（Englebert, 2009）。

> トゥアレグがたどってきた歴史は、排除と貧困、そして周縁化という言葉で埋めつくされている。

独立後の国民国家建設プロセスから周縁化され続けてきたトゥアレグは、自らの政治的権利（地方政府や軍部での一定数の選出）や経済的権利（北部の経済開発の促進）をもとめて度々、この地で反乱を起こすようになっていったのである。

†「アザワド国」の分離独立

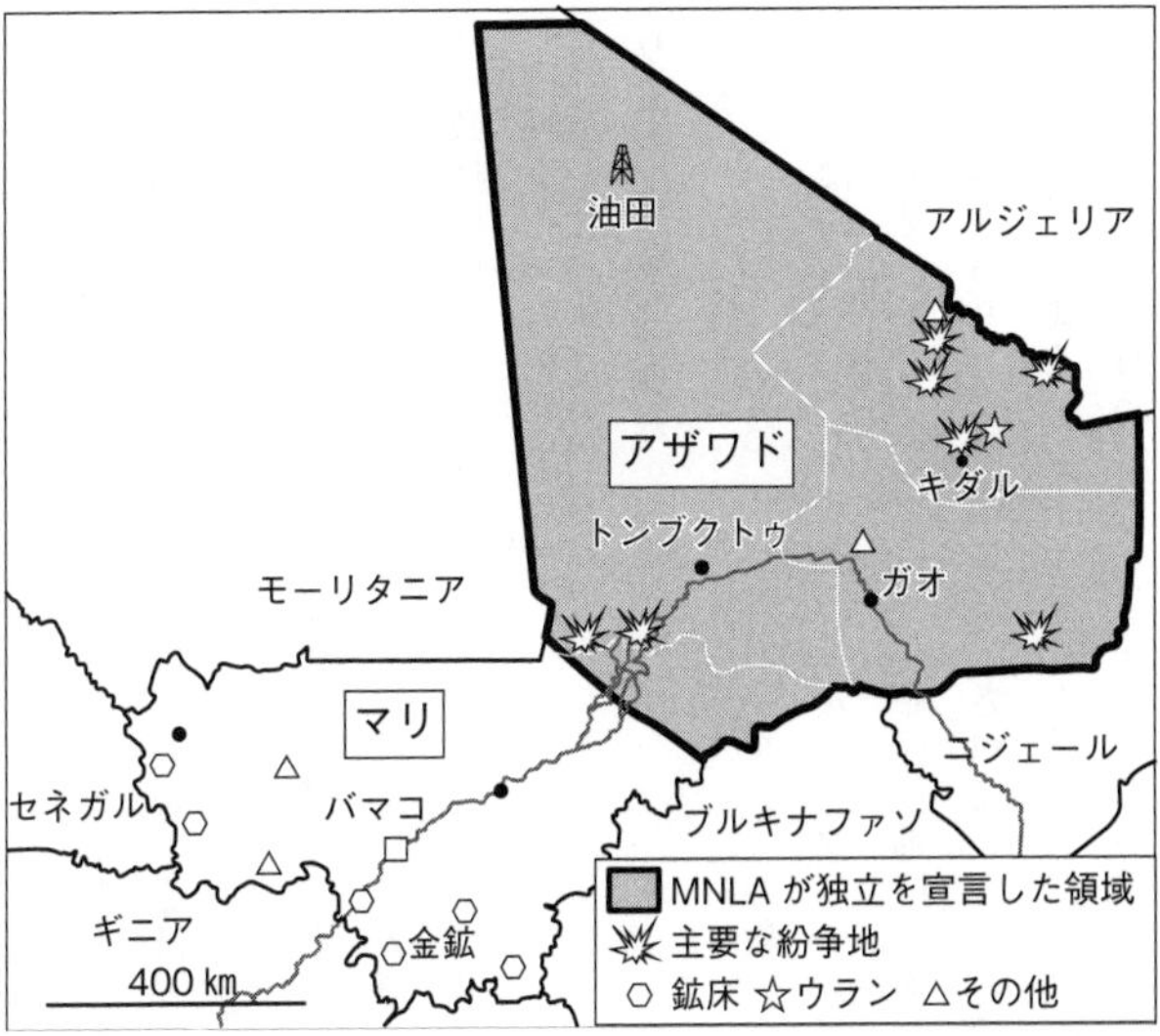

図2-3　MNLA が独立宣言をおこなったアザワド国の領域　出所：tamoudre.org

一九六〇年代の植民地独立当初からトゥアレグは、マリでの反乱を繰り返してきた。だが、二〇一二年一月のMNLA（アザワド解放民族運動、トゥアレグによる反政府武装勢力）による武装蜂起は、その後のサヘル情勢に与えたインパクトという点で、これまでの反乱と一線を画すものだった。

マリ北部とアルジェリア南部の国境付近で武装蜂起したMNLAは、数カ月後にはマリ北部の主要都市（キダル、ガオ、トンブクトゥ）を制圧し、二〇一二年四月に「アザワド国」（「アザワド」という呼称は、サヘル地域に広がる乾燥地帯を意味しており、ベルベル語の Azawagh に由来する）の分離独立を宣言したのである（図2－3）。このときＭＮＬＡが制圧下においた領土はマリ全土の三分の二に相当し、その総面積は、フランスの国土面積を凌駕するほど広域であった。

だが、「ごろつき」と蔑称され、周縁化されてきたトゥアレグが、なぜこれほど簡単にマリ正規軍に勝利し、武力でそれを排除することができたのだろうか。

その背景には、二〇一一年一〇月にリビアでおきたカダフィ政権の崩壊があった。カダフィ政権の崩壊によって、行き場を失ってマリに帰還したトゥアレグの傭兵たちが、蜂起の中核を担ったのである。

†リビアのトゥアレグ傭兵

二〇一一年一〇月、リビアのカダフィが殺害され、政権が崩壊した際、リビア国軍に属していた約一〇〇〇～二〇〇〇人のトゥアレグたちが、マリ北部に帰還したと言われている。そもそもトゥアレグは、なぜ居住地域であったマリ北部から離れて、リビアのカダフィが指揮するリビア国軍に編入されていたのだろうか。

すでに見たように、トゥアレグは独立後のサヘル諸国の国民統合プロセスから、排除されてきた存在であった。もともと彼らが活動するマリ北部が過酷な自然環境下にあったことに加えて、衰退の一途をたどるキャラバン交易は、彼らにわずかな収入しかもたらさなかった。さらにサハラ一帯を襲った相次ぐ干ばつによって、ヤギやヒツジなどの生活の糧《かて》を失う者も少なくなかった。そうして職もなく経済的に貧窮したトゥアレグの若者のなかには、闇取引（麻薬や人身売買など）に手を染める者も少なくなかった。

一方、一九六〇年代末にリビアでクーデタにより政権を掌握したカダフィは、アラブ人の団結と民族解放運動を呼びかけ、アフリカでの影響力を強めていた。特に一九七〇年代から八〇年代にかけて、カダフィは、リビア国内で産出される豊富な石油資源を元手にして、サヘルへの政治的介入を積極化する。この時期、カダフィはリビア・イスラーム軍を組織してトゥアレグの参加を呼びかけ、それに少なからぬ若者が応じて、傭兵として徴用されていった。生活の糧を失い、自国内でも行き場を失ったトゥアレグの若者が生きていく手段のひとつが、リビア軍への参加であったのだ。

また多くのトゥアレグがリビアに渡った理由は、生活のための収入源を得るためだけではなかった。そこにはカダフィという指導者に対するある種の「期待」のようなものがあったのではないかと思われる。

カダフィは、欧米からは「砂漠の狂犬」「狂った独裁者」というレッテルを貼られ、敵視される存在であったが、サヘルに住む人々にとっては、そうではなかった。カダフィ自身が遊牧民族の生まれであることから、トゥアレグの反乱時には、武装勢力に経済的・軍事的援助をおこなうなど、トゥアレグとの人的ネットワークを築いていた。また国際会議の場で、抑圧されてきた民族の声を代弁するカダフィの姿に、アフリカの指導者としてのイメージを抱いていた者も少なからずいた。

さらに一九八〇年代から九〇年代にかけて、カダフィは、石油の輸出収益で得た豊富な外貨を使って、サヘルをはじめ多くのアフリカ諸国に対してモスクの建設やインフラ投資、金融支援をおこなっていた。カダフィは、サヘルに住む人々にとって、アフリカのリーダーとして期待される存在であったのである。

傭兵への参加をはじめとして多くのトゥアレグの若者がリビアに渡ったのも、このようなカダフィ政権下のリビアに身の置き所を見出そうとしたのである。

いずれにせよ、傭兵となったトゥアレグは、リビア・イスラーム軍としてレバノン戦争（一九八二年）やチャド紛争（一九七八〜八七年）で戦地に投入され、実戦経験を積むことになった。その後、リビア・イスラーム軍は解体されるが、多くのトゥアレグたちが引き続きリビア国軍に編入されていった。

†トゥアレグの帰還

だが、二〇一一年一〇月にリビアでおきたカダフィ政権の崩壊（カダフィの殺害）により、リビア軍に属していたトゥアレグたちは再び行き場を失ってしまった。これが翌二〇一二年のマリ内戦（トゥアレグのマリでの武装蜂起としては四度目である）の直接的な契機となった。カダフィ政権崩壊後、リビア軍の武器庫から大量の銃火器（小型武器、重火器、携行式地対空ミサイル等）が周辺国に流出していった。トゥアレグの傭兵部隊は、その一部を携えて、本国マリへと帰還したのである。

トゥアレグの帰還がマリ北部にもたらした影響について、二〇一四年からサヘル担当国連事務総長特使を務めるゲブレ・セラシエが、次のように述べている（Sellassie, 2014）。

（トゥアレグの帰還は）すでにマリ北部でくすぶりつづけていた火種の着火剤の役割を果たした。独立以来つづくマリの政治構造的な欠陥が改善されなければ、未曾有《みぞう》の混乱が国境を越えてサヘルで広がりつづけることになるだろう。

マリ北部で発生した武装蜂起に対して、マリ政府と軍の対応は不十分であった。トゥアレグの民兵組織は比較的規模は小さかったが、最新の銃火器を装備し、実戦をくぐり抜けてきた戦闘のエキスパート集団であった。

対照的に、北部戦線に送られたマリ軍兵士は、十分な装備を与えられず（時には食事も満足に配給されなかった）、国土を防衛しようとする士気も低かった。結果はあきらかである。マリ軍兵士は交戦で多くの犠牲者をだしながら遁走《とんそう》することになった。

首都バマコでは政府の対応の遅れを非難するデモが拡大し、二〇一二年三月のクーデタによりトゥーレ大統領が逃亡、無秩序状態に陥った。そしてトゥアレグ帰還民による一方的な「アザワド」国の独立が宣言され、国土の分裂の危機にまで発展してしまったのである。

3 マリにおけるイスラーム急進派勢力の拡大

†マリの「タリバン化」

トゥアレグが火種の着火剤の役割を果たしたのであれば、それに続くイスラーム急進派勢力は、燃えさかる炎に油を注ぐ役割を果たした。

二〇〇〇年代初頭からサヘル一帯で活動拠点を築いていた過激なイスラーム急進派勢力がこの反乱に加勢したのである。以下では、混乱に陥ったマリで、イスラーム急進派勢力

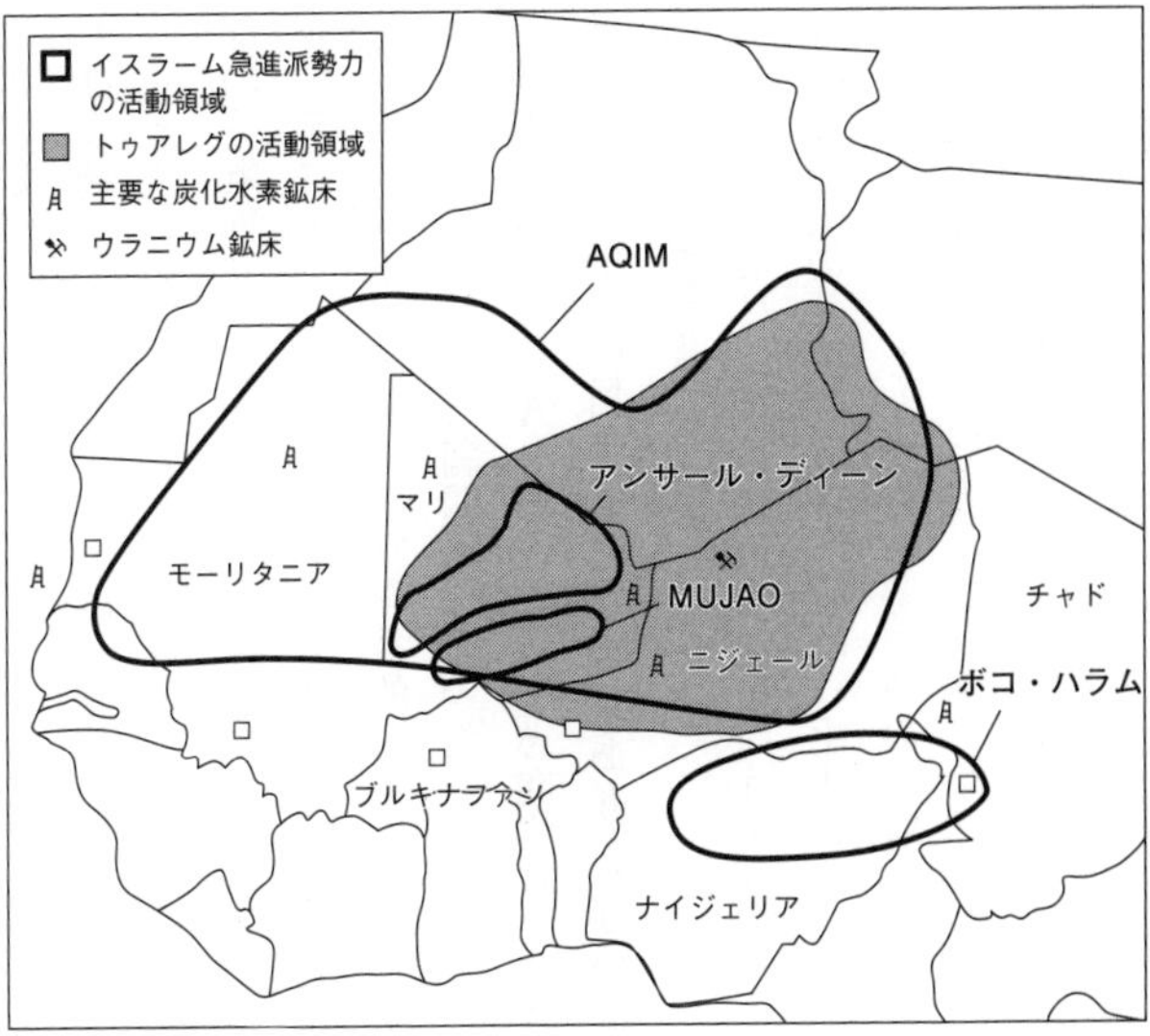

図2－4　不安定化したサヘル地域（イスラーム急進派勢力の活動領域）
出所：Les Echos（2013.02.11）より作成

の暴力が拡延・連鎖していく状況について考えてみたい。

当時の不安定化したサヘルにおける武装勢力の活動領域を図2－4に示した。図2－4にみられるように、サヘルには主として次の三つの武装勢力が混在していた。

二〇〇七年一月にアルカーイダの地方支部として傘下にはいったマグレブ・アラブ系の「マグレブ・イスラームのアルカーイダ」（AQIM）は、広大な活動領域を特徴としており、モーリタニアからアルジェリア南部、マリ、さらにはニジェールとリビア南部の国境付近にまで浸食している。

そして、ＡＱＩＭから二〇一一年末に分派したブラック・アフリカ系の「西アフリカにおける統一とジハードのための運動」（ＭＵＪＡＯ）とトゥアレグを中心とした「アンサール・ディーン」（Ansar Dine）がマリ北部を影響下においている。ＭＮＬＡがあくまで北部の分離独立を目指す世俗主義勢力であるのに対して、ＡＱＩＭ、ＭＵＪＡＯ、アンサール・ディーンは、マリ全土の実効支配の確立とシャリーア（イスラーム法）に基づいた新たなイスラーム国家の樹立を目的とするジハーディストである。これらの勢力とＭＮＬＡは二〇一二年頃に共闘関係になった。

世俗派のＭＮＬＡと原理主義を志向するイスラーム急進派勢力の共闘関係は、そもそも目的も宗教上の信条も異なる「ありえない同盟関係」（strange bedfellows）であった（Yonah Alexander, 2016）。

ただ、そこには権力に抗するという実利的な理由が共通していたことから、目的が異なる勢力同士の共闘関係が一時的に生まれたのである。だが、その関係は北部制圧後あっけなく崩れさることとなる。勢力間の分裂により、二〇一二年六月までにイスラーム急進派によってＭＮＬＡが北部主要地域から駆逐されたのだ。短命に終わった「アザワド国」の領域は、ＭＮＬＡに代わってイスラーム急進派勢力の支配地域として塗りかえられ、ＡＱＩＭはトンブクトゥおよび周辺地域、アンサール・ディーンはキダル、ＭＵＪＡＯはガオ、メナカ、および周辺地域における占拠を宣言する。

北部主要都市を制圧したイスラーム急進派勢力は、住民に対するシャリーアの厳格な適用と文化的破壊行為を開始した。トンブクトゥでは偶像崇拝にあたるとしてイスラーム聖者の眠る聖廟《せいびょう》が破壊され、貴重な古文書が焼かれた。また、アルコールを扱う商店が破壊され、女性へのベール着用が強要された。さらに地元のラジオ局では一切の音楽が禁じられ、コーランの読誦《どくしょう》のみが許可された。タリバン制圧下のアフガニスタンでおこなわれた蛮行を彷彿させる、住民へのシャリーアの強要や文化的破壊行為から、国際社会はマリの「タリバン化」「アフガニスタン化」への懸念を強めた(武内二〇一五)。

前節で述べた二〇一二年一月のMNLAの反乱と、その後のイスラーム急進派による占領は、北部の主要都市に深刻な人道的危機をもたらした。まず、食料の問題である。食料供給に不可欠な外部との幹線道路が寸断され、食料価格が高騰した。国連食糧農業機関(FAO)の報告によれば、二〇一三年四月時点で一二〇万人が食料不足に、五八万人が飢餓状態に陥ったとされる。また、マリ北部一帯で約二九万人の国内避難民(IDPs)が発生し、一八万人が難民となって隣国のブルキナファソ、モーリタニア、ニジェールに避難した。これは北部地域の住民の約四分の一にも相当する。

人道危機の深刻化を受けて国連安保理は、二〇一二年末に西アフリカ諸国経済共同体

（ECOWAS）加盟国で編成される「アフリカ主導国際マリ支援ミッション」（AFISMA）を承認する。翌二〇一三年一月にはナイジェリアやトーゴなどからの派遣部隊がマリへ派兵されたが、イスラーム急進派勢力は首都バマコから北東七〇〇キロに位置するコナまで南進する。

イスラーム急進派勢力の予想以上の進撃が続いたため、トラオレ大統領は元宗主国のフランスに軍事支援を要請し、それに対応するかたちで仏軍は北部主要都市の奪還と武装勢力掃討を目的とした「サーバル作戦」（Opération Serval）を展開し始めた。仏軍は欧州各国、米国、ECOWAS部隊等と連携し、周辺国の駐留軍を中心とした五〇〇〇人以上の部隊を投入して事態の収拾に乗りだした。

同年四月、仏軍は掃討作戦による失地回復（北部主要都市の奪還）に成功し、派兵部隊の段階的な撤退を開始する。「アフリカ主導国際マリ支援ミッション」も「国連マリ多元統合安定化ミッション」（MINUSMA）に移行し、同年七月以降、一万人以上の軍事・警察要員を派遣して、マリの平定にあたっている。「サーバル作戦」終了後は、より広域のサヘル（モーリタニア、マリ、ブルキナファソ、ニジェール、チャド）の治安維持を目的とする「バルカン作戦」（Opération Barkhane）へと移行して、こちらへは約三〇〇〇人の仏軍部隊が展開している。

†アルジェリア・イナメナス事件――「国境を越える脅威」の顕在化

サヘル一帯で広範囲に活動をつづけるＡＱＩＭというイスラーム武装勢力は、どのような組織であるのか。

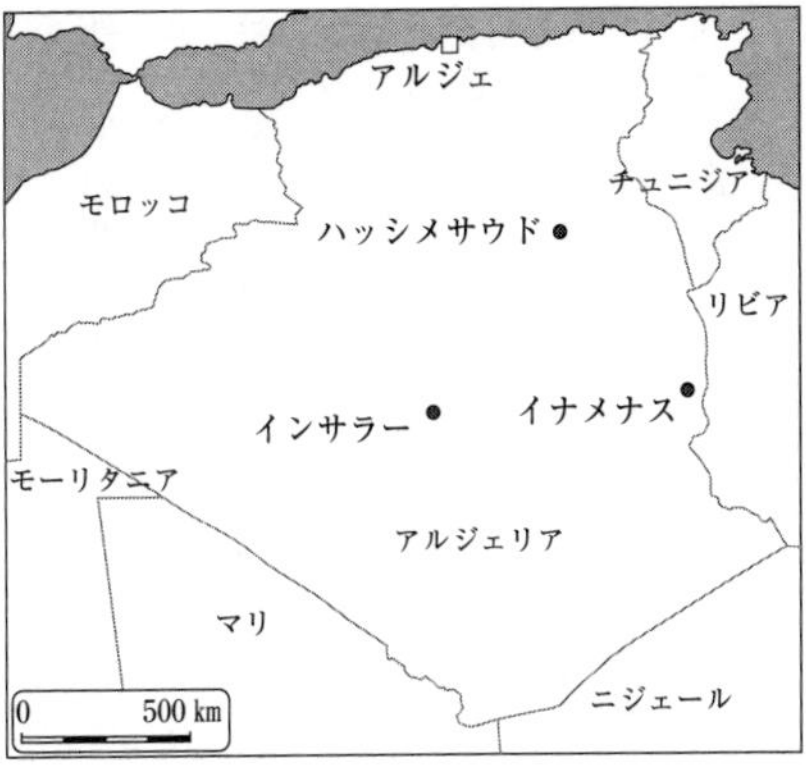

図2-5　アルジェリア・イナメナスの所在地
出所：Statoil ASA, 2013.

マリ北部での内戦が深刻化し仏軍が軍事介入を始めたのと同時期、隣国アルジェリアでＡＱＩＭと関連が深く、日本にとっても重大な事件が発生している。当時日本でも大きく報道された、アルジェリア南部イナメナスで起きた天然ガス精製プラントへの襲撃事件である。

イナメナスのガスプラントは、リビア国境から五〇キロほどの地点、アルジェリアのサハラ砂漠の真っ只中にあった（図2-5）。事件発生時、この巨大なガスプラントでは、約三〇カ国から来た外国人従業員一三〇人以上を含む、八〇〇人以上の人々が働いていた。

二〇一三年一月一六日の早朝、このガスプラントがテロリストにより襲撃を受ける。事件発生の翌日にはアルジェリア軍のヘリによる機銃掃射と特殊部隊による突入作戦が実施され、多くの犠牲者をだしつつも、テロリストの排除とガスプラントの制圧に成功したが、結果として日本人一〇人を含む八カ国（イギリス、ノルウェー、アメリカ、フランスなど）のプラント関係者四〇人が犠牲となり、武装勢力側は二九人の死亡が確認された。

犯行声明をだしたAQIMは、アルジェリアからサヘルに活動拠点を移して潜伏をつづけていたジハーディストグループである。事件発生時、彼らは、フランス軍によるマリ北部への軍事介入を非難する声明をだしており、イナメナス事件は、アルジェリアだけを狙ったテロとみるべきではなく、サヘル情勢やマリ危機とも深い関わりをもつものと認識すべきである。

三〇人近くの犯行グループを率いた首謀者は、モフタール・ベルモフタール（Mokhtar Belmokhtar）という人物であった（図2-6）。ベルモフタールはもともとアルジェリア出身で、一九九〇年代末からAQIMの前身であるGSPC（Groupe Salafiste pour la prédication et le Combat：布教と戦闘のためのサラフィスト集団）の幹部であった人物である。AQIM結成後は南地区（サハラおよびサヘル地域）の指導者となっていたが、そこから「イスラーム聖戦士血盟団」を結成してAQIM本体から離脱・分派していた。

ベルモフタールの声明によれば、イナメナスのガスプラント襲撃は、アルジェリア政府による仏軍に対する制限空域の解除に呼応したものであり、彼は人質解放の代わりに北部マリからの仏軍の即時撤退を要求した。

図2-6　モフタール・ベルモフタール　提供：アフロ

　これに対して、アルジェリア政府はテロリストとの交渉を断固拒否する態度を示した。アルジェリアは一九九〇年代に国内で発生した過激なイスラーム急進派勢力を殲滅《せんめつ》するために、血みどろの戦いをおこなってきた国である。約一〇年間にわたるテロとの戦いでは、政府・軍関係者、一般市民をはじめとする一〇万人以上の犠牲者をだしてきた。そのような危機の時代をくぐり抜けてきたアルジェリア政府は、テロに屈しない姿勢を貫いたのだ。

　またアルジェリア政府は、テロリストとの交渉が長引いてしまうことで、国家の重要な収入源であるガスプラントの爆破リスクが高まってしまうことも回避したかった。アルジェリアの炭化水素資源（石油・天然ガス）の輸出額は同国の総輸出額の九七パーセントを占め、国家予算の七割に達している（アルジェリアの政治経済構造については第4章を参照）。そしてイナメナスのガスプラントは、天然ガス生産の二割を占める重要な拠点であったのだ。そのためアルジェリア政府はプラントの安全確保を最優先し、「テロリストとの交渉には一切応じない」という発言を繰り返して、一方的に事態の収束を急いだと考えられる。

†イナメナス事件はなぜ起こったのか

ただし、事件直前に実施されたマリ北部への仏軍「サーバル作戦」が、イナメナス事件の直接的な誘因であったかどうかには疑念が残る。綿密な作戦の立案や数十人規模のテロリストの組織化に加えて、相応の武器や爆薬の調達、内通者からの情報の入手など、これらの準備には少なくとも数週間が必要である（Aronson, 2014）。したがってこの事件は、相当の準備期間を経て実施に移されたと考えるのが妥当である。

では、イナメナス事件の意図はどこにあったのか。ベルモフタールが関与したこれまでの誘拐事件から、多額の身代金の要求が目的のひとつであったと考えられる。だが、より重要な目的は、サヘルで潜伏をつづけるテロ組織が、綿密な作戦を練り上げたうえで組織的なグローバル・ジハードを実行する能力があると、国内外に示すことであったのではないか。

イナメナス事件から四カ月後の二〇一三年五月、ベルモフタールが率いる「イスラーム聖戦士血盟団」およびMUJAOは、ニジェール北部のアガデスにある軍事施設とフランスのアレバ社がウラン採掘をおこなっているアルリット鉱床で同時自爆テロをおこない、軍人と民間人の二〇人以上が犠牲者になった。攻撃目標が外国資本の象徴的・戦略的資源施設であったことや、急襲攻撃によるテロであること、使用兵器類など、イナメナス事件と類似する点が多くみられる。

二〇一二年一一月に発表されたAQIM指揮官アブー・ムスアブ・アブドゥルウドゥードによる声明（ビデオメッセージ）「マリ侵攻はフランスによる代理戦争である」では、以下のように述べられている（若桑二〇一四、訳文一部変更）。


私はこの戦争の隠蔽された目的と、真の理由を暴露したい。フランスはこのサヘル地域の人民の代理人として、暴力を強制的に押し付けようとしている。フランスの軍事介入はムスリムとアフリカ住民からの富の略奪を確実なものにするためにおこなわれている。ニジェールの抑圧された困窮者の汗が混じったウラニウムと石油を、適正な価格でないまま、フランスの諸工場に継続的に流出させるということである。またそれは、マリやその周辺諸国の金とダイヤモンドの富を獲得することを目的としている。その一方でマリの人民は最低賃金で彼らに略奪され、貧困と剝奪という泥沼にはまったままである。

†イスラーム急進派が利用する構造的暴力

以上のようなＡＱＩＭの声明はなにを意味しているのだろうか。そしてサヘルで暮らす人々は、このようなジハード戦士のメッセージをどのように受け取っているのだろうか。ＡＱＩＭが活動している諸国の経済社会状況を概観しながら、この点について考えてみたい。

まず、アルジェリアであるが、同国は日量一五八万バーレルもの原油、年間約三〇兆立法フィートもの天然ガスを産出する資源大国である。だが、独立から半世紀以上が経過したいまでも、若者の三割近くが失業している。その一方で、与党（ＦＬＮ）と軍幹部を中核とする富の受益集団が形成されている（アルジェリアの政治経済構造については第４章にて詳述する）。

次にニジェールである。日本ではあまり知られていない事実であるが、ニジェールは世界第四位のウラニウム生産国である（二〇一八年の年間産出量は二〇一一トン）。

ニジェールで産出されているウラニウムのほとんどが、フランスの総合原子力企業アレバ社の鉱山開発によるものである。また、アレバ社が一九七〇年代から進めているウラン開発には、日本の海外ウラン資源開発社も出資（権益二五パーセント）しており、日本で必要な原子力燃料もニジェールから輸入されてきた。

だが、長年にわたるウラン鉱山開発の影響で、周辺地域の土壌・地下水が放射線物質で汚染されていることが報告され、鉱山労働者や周辺地域に住む住民の健康に影響がでている。また近年では、ウラニウムだけでなく中国の石油公社（CNPC）による油田開発も開始されている。

最後にマリである。マリはアフリカのなかでも有数の金の産出国（二〇一六年の産出量は四二トンでアフリカ第三位）として有名である。マリの南部には、複数の金鉱が存在する。その開発の中心は、やはり外国企業である。南アフリカのアングロゴールド・アシャンティをはじめ、カナダ、イギリス、アメリカなどの資源関連の世界的な大手企業が金の採掘をおこなっている。

このように、アルジェリアやニジェール、マリは、いずれも過去半世紀以上にもわたり採掘が続けられているアフリカ有数の資源富裕国（石油・天然ガス、ウラニウム、金）なのである。

その一方で、一般の国民の生活は、政権がいくら代わろうと、石油やウラニウムがいくら産出されようと、一向に改善される気配がない。

独立以来、世界の中でも最底辺の貧困国でありつづけているのが、これらのサヘル諸国なのである。たとえば、国連開発計画（UNDP）が発表している人間開発指標（HDI：所得だけでなく、保健や教育分野を含めた人間開発の達成度を指標化）によれば、世界一八九カ国のなかでマリの順位は一八二位、ニジェールは最下位の一八九位である（いずれも二〇一八年）。

世界有数の資源国でありながらも、国民の生活状況は、いつまでたっても貧しいままでありつづける。このギャップこそが、そこで暮らす人々の不満がたまりつづけてきた要因ではないだろうか。

フランスやカナダ、中国の資源採掘会社が世界有数の地下資源から巨額の利益を生みつづけ、そこからこぼれ落ちる利益を一握りの権力者たちが享受する。彼らの欲望の犠牲となり搾取されつづけるのは、民衆である。

ＡＱＩＭのようなイスラーム急進派勢力は、以上のような構造的暴力を利用して、自らのテロ活動を正当化させている。すなわち、北アフリカやサヘルに住むムスリムたちが苦境に立たされつづけているのは、彼らを支配し続けている欧米諸国（キリスト教徒）による抑圧と搾取のせいである。彼らの利益に同調する政府・軍関係者も同じように敵対視される。イスラーム急進派は、この支配と抑圧からの解放に向けたジハード（聖戦）への参加を呼びかけ、シャリーアに基づくイスラーム国家（既存の国境や民族を超えたムスリムの共同体）の樹立を目指すというものである。

極めて単純な二項対立の構図であるが、将来の展望が見えない絶望の淵にたたされた若者たちが次々とリクルートされる理由のひとつは、このようなイスラーム急進派が想像するイスラームの共同体に、彼らが「生きる意味」を見出していることであろう。

4　サヘル危機で激増する麻薬取引

†懸念されているもうひとつの問題

政情が不安定なサヘル地域だからこそ、近年、ヨーロッパ諸国が警戒心を強めているもうひとつの問題がある。二〇〇〇年代以降、サヘルを含む西アフリカ一帯で、ヨーロッパ市場をターゲットとしたコカインなどの麻薬の密輸が急増しているのである。

コカインの原料となるコカの葉は、南米三カ国（ボリビア、コロンビア、ペルー）でほぼ全量が栽培されている。世界最大のコカイン市場はアメリカであるが、アメリカの消費量に迫る勢いで、二〇〇九年頃からヨーロッパ全域での消費が拡大している。

つまり中南米で麻薬の製造や密売をおこなっている非合法組織（麻薬カルテル）が、テロリストが潜伏し、「統治されない空間」が拡大しているサハラ・サヘル地帯に着目し、ヨーロッパに麻薬を持ち込むためのルートとして利用するようになったのだ。

†「コカイン航空」事件の衝撃

サヘルを通じた麻薬の密輸がどれほど深刻な事態であるのかを示したのが、マリ北部の砂漠地帯で起きた、通称「コカイン航空」事件である。

二〇〇九年二月、南米ベネズエラで離陸したボーイング機が、マリ北部の砂漠地帯で残骸となって発見された。事故現場の砂漠地帯には、空になった燃料タンクが転がり、機体は完全に破損し、黒焦げとなって放置されていた。

当初の報道では「墜落」とされていたが、その後の調査と事故現場の状況から鑑みて、ボーイング機は不時着後に証拠隠滅のために放火・破壊され、密輸目的で積まれていた推定一〇トンものコカイン（末端価格で三億ユーロ（日本円で約三五一億円、一ユーロを一一七円で計算））が何者かによって持ち去られたことがわかった。つまり、これは事故ではなく事前に周到に計画された犯行であったのだ。

この事件は「コカイン航空」事件として、欧米で報道された（無論「コカイン航空」という名の航空会社は存在しない）。想像を超える量の麻薬が、南米でボーイング機に積み込まれ、ヨーロッパ各地に密輸するために、マリ北部の砂漠に運び込まれたのである。

†麻薬ルートとしての西アフリカ・サヘルの重要性

なお、「コカイン航空」事件のように大胆に直接内陸に密輸するのではなく、大西洋岸に面した西アフリカ沿岸諸国やギニア湾沿岸諸国が、アフリカ大陸、そしてヨーロッパへというルートの入り口として利用されることも多い。

近年、これらの地域では陸揚げされた大量のコカインが押収されている。そして南米産の麻薬は、輸送の機会を待ちながら小分けにされ、最終目的地ヨーロッパを目指して、サヘルを中心に複数の密輸経路で運ばれることになる。

その密輸経路は、当局の監視を逃れるために、複雑化と巧妙化を繰り返している。図2－7には、西アフリカ沿岸における主要な密輸の中心地を示しているが、これらの地域を中心にして、巣からミツバチが飛び立つように、分散されたコカインが「運び屋」によって輸送されつづけているのである。

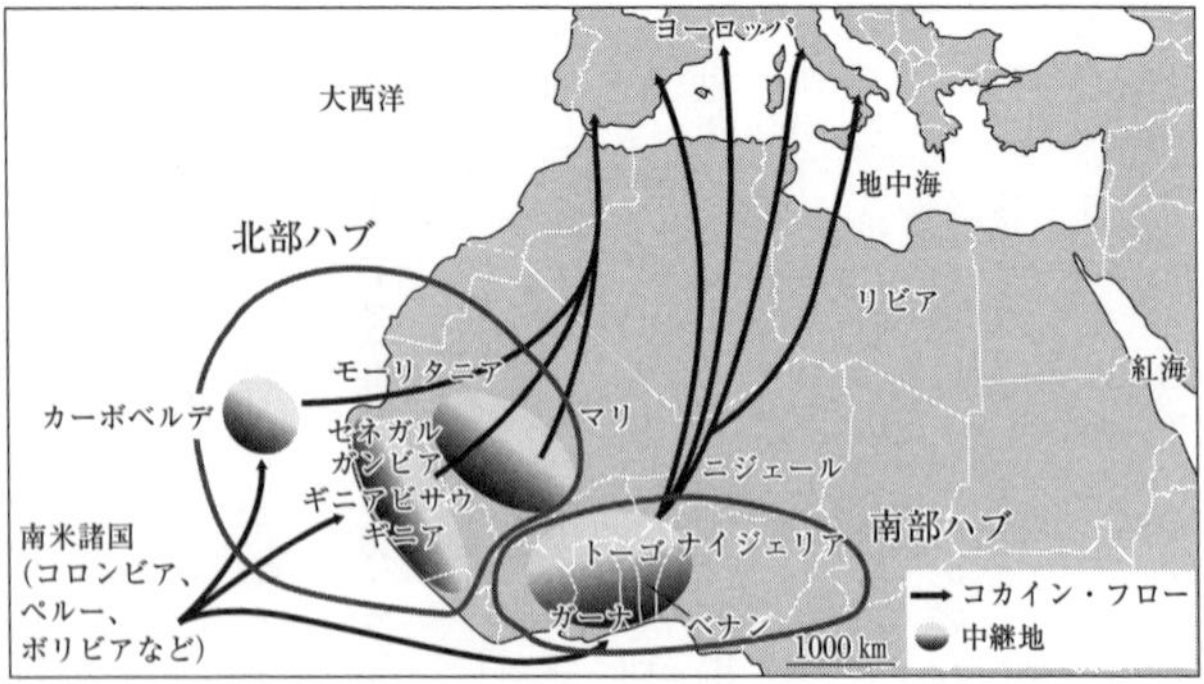

図2-7　西アフリカにおけるコカイン密輸経路　出所：UNODCの資料を参考にして作成

西アフリカでおこなわれている麻薬の密輸経路について、もう少し詳しくみてみよう。

南米から持ち込まれた麻薬は、次のふたつの中心地（ハブ）に集積される。大西洋沿岸諸国（ギニアビサウ、ギニア、ガンビア、セネガル、カーボベルデ）の北部ハブ、ギニア湾沿岸諸国（ナイジェリア、ベナン、トーゴ、ガーナ）の南部ハブである。そして、これらのハブから内陸のマリやニジェール（マリのキダル、ガオ、ニジェールのアガデス）、モーリタニアの各地方都市を中継地として北上する輸送経路が築かれている。最近では、混乱が続くリビアも恰好の密輸経路となっている。

このルートからわかるとおり、アフリカを経由してヨーロッパに麻薬を密輸する場合、西アフリカ、そしてサヘル地域ははずせない場所になっているのである。

†「統治されない空間」が莫大な金を生む

あらためて指摘するまでもないが、違法薬物である麻薬の利益率は、合法商品とは比較にならないほど莫大である。それがどれほどのものであるのか、以下、具体的数字をおいながらみてみよう。

たとえば、コカイン一キログラムの取引額は、原産地の南米では二七〇〇〜四〇〇〇ドルであるが、西アフリカ沿岸諸国に陸揚げされた時点で一万三〇〇〇ドルにはね上がる。サヘル地域の交易地（キダル、アガデス）では一万六〇〇〇ドル、北アフリカの主要都市では二万四〇〇〇ドルへと段階的に値上がりしていき、最終消費市場のヨーロッパでは四万〜六万ドルで取引される（WACD, 2014）。

麻薬ビジネスがいかに「金になるビジネス」であるかがわかるだろう。国連の試算によれば、ヨーロッパ市場でのコカイン・ビジネスの利益は二〇〇億ドル以上に達するとされ、そのうち約一割程度の利益が西アフリカを拠点とする麻薬取引業者にこぼれ落ちている（UNODC, 2011）。

また、すべてのプロセスが闇から闇への非合法ルートで取引される麻薬ビジネスは、合法商品とは事業展開の手法や投資環境の捉え方がまったく異なっている。というのも、アフリカへの投資や事業展開をおこなおうとする企業にとっては、政治的に不安定な地域は回避すべきリスク要因であるが、麻薬密輸業者にとっては、むしろ歓迎すべき絶好の「場」になるからだ。

国境管理が限りなくなきに等しい辺境・砂漠地帯、非合法ビジネスに協力的な政治家や軍部がはびこる汚職国家、クーデタの頻発や内戦により領土の統治が不完全な脆弱国家。これらの「統治されない空間」は、麻薬ビジネスにとっての最適な立地条件を意味し、ビジネス上の競争優位の確立を助けるのだ。

南米のアンデス諸国とヨーロッパをつなぐ輸送経路上で、以上のような条件を照らし合わせたとき、地政学上の空白地点として浮かびあがったのが、西アフリカ地域なのである。

†イスラーム急進派と国際犯罪組織共通のメリット

明るみにでている麻薬取引や押収量はおそらく氷山の一角であり、すでに大規模な国際犯罪組織が、西アフリカでの麻薬の密輸に深く関与しているだろう。国境管理や警備が不十分なサヘルは、まさに前項で述べたような麻薬の密売人にとって最適な「ビジネス」環境を提供している。

欧州安全保障研究所（ＥＵＩＳＳ）の報告は、サヘル地域を麻薬の密売人が通過する際に、ＡＱＩＭのようなイスラーム急進派勢力と関係を持つ民兵組織が通行料を徴収していると指摘している（Pellerin, 2014）。麻薬の密輸をおこなう国際犯罪組織とイスラーム急進派勢力は、活動地域の不安定化に同じメリットを見出しているのである。

ちなみに、麻薬以外にも、イスラーム急進派勢力にとって密輸は重要な資金源となってきた。たとえば、イナメナス事件を指揮したとされるベルモフタールの組織は、タバコの密輸を主要な資金源としていたと指摘されている。

その他にテロの資金源として最も重要なのが、外国人を誘拐することで得られる身代金である（世銀の推計によれば、サヘルのイスラーム急進派勢力が二〇〇〇年代後半の数年間で得た身代金の合計額は四〇〇〇〜六五〇〇万ドルに達すると指摘している）。これらの密輸・誘拐というビジネスも、「統治されない空間」があればこそのものだといえるだろう。

†サヘルの空白地帯で生み出される暴力

いま述べたようにイスラーム急進派勢力は、サヘル地域で活発に活動しており、その暴力は依然として終息していない。最後に、現在の状況とその背景を解説しておこう。

二〇一九年時点で、サヘルで確認されているイスラーム急進派勢力は一〇グループ以上存在し、分派と集結を繰り返している。なかでも次にあげる二つのグループ（ＪＮＩＭ、

ISGS）が関与するテロ事件が目立っている。

二〇一五年にMUJAOから分派して創設されたマシナ解放戦線（FLM）は、アマドゥ・クファというカリスマ性のある指導者に率いられ、マリ中部に居住するフラニ族の支持を集めている。FLMは、国連マリ多元統合安定化ミッションにあたる兵士の宿泊地や、首都バマコでの高級ホテル（ラディソン・ブル）へのテロを実行して、その存在を国内外に示してきたが、二〇一七年にはFLMを含む複数のイスラーム急進派勢力が集結して、新たに「イスラームとムスリムを支持するグループ」（JNIM）が結成された。

同じくMUJAOの構成員であった西サハラ出身のアル・サハラウィは、二〇一五年に「大サハラのイスラーム国」（ISGS）の創設を発表している。ISGSはマリ、ニジェール、ブルキナファソの国境付近で勢力を拡大しつつあり、間接的な構成員を含めると四〇〇人以上の規模に達していると言われている。

このようにいまだに大規模な武装勢力が現れ、活発に活動している背景には何があるのだろうか。繰り返しになる部分もあるが、まとめておこう。

北アフリカから西アフリカに至るサハラ・サヘルは、二〇世紀後半に石油資源や鉱物資源が発見されるまでは、政治的にも経済的にも重要な地域とはみなされていなかった。そこには、国民国家形成プロセスから排除され、辺境地帯で流浪する遊牧民トゥアレグが過酷な気候条件を生き抜く術として生み出した、非公式の交易ネットワークが存在するだけであった。

だが、その辺境地帯に生まれた空白地帯、もしくは「統治されない空間」は、イスラーム急進派勢力にとって恰好の隠れ家となった。

これらのイスラーム急進派が勢力を伸ばしている現象の根底にあるのは、AQIMのところで説明したようにサヘルの人々が抱きつづけている経済的な貧窮に対する不満や、国家から排除されつづけた民族が抱く不正義の感情である。これらの感情を抱く人々に、イスラーム急進派勢力は金銭的なインセンティブを提示し、さらに武装することでもたらされる特権意識を植えつける。つまり、「世界有数の資源国でありながらも、人々の生活状況はいつまでたっても世界の最底辺」という状況がある限り、武装勢力はこの地から決してなくならないのである。

莫大な富を蓄積しつづけるヨーロッパ世界と、搾取され、貧しいままであるアフリカ世界——そこに存在する構造的暴力をイスラーム急進派勢力が利用しつづける限り、サヘルの混迷は終息することはないだろう。

第 3 章

蹂躙されるマダガスカル

首都アンタナナリボにひろがるスラム街(著者撮影)

1 疲弊する人々と大地

†地上の楽園か、呪われた大地か

マダガスカル共和国（以下、マダガスカル）は世界で四番目に大きい島国である。その国土面積は日本の約一・五倍もの大きさに相当する。マダガスカル島は、約一億六五〇〇万年前にアフリカ大陸から切り離された後、南東に四〇〇キロメートルほど移動した。大陸から遠く離れ、生物種の往来が少なく長く孤立した状態が保たれていたため、この巨大な島国では、他の地域に見られない多くの固有種が独自の進化を遂げ、多様な生態系を構成するようになった。

マダガスカルの生態系についてすこし概観してみるだけでも、その独自性と多様性を垣間見ることができる。植物相と動物相のおよそ九〇パーセントが固有種であり、地球上トップレベルの固有率を誇っている。植物は、日本の約二倍の一万三七〇〇種を数え、動物についても有名なワオキツネザルをはじめとするキツネザル類だけで七九種の生息が確認されている（小山二〇〇九）。また霊長類は五科七一種おり、そのすべてが固有種である。

そのほか、鳥類、両生類・爬虫類など他の場所ではみることのできないさまざまな種が生息している（飯田二〇一三）。マダガスカルは、インド洋に浮かぶ、まさに「地上の楽園」ともいえる地なのだ。

そして、この島で暮らす人々もまた、外部世界から一定の距離をおいた独自の生活空間を築いてきた。マダガスカル人の人種的なルーツは、東南アジアであると言われており、通説によれば、紀元前四世紀頃にボルネオ島南東部に住む人々が海を渡ってマダガスカル島にやってきたと考えられている（小山二〇〇九）。

その後、東アフリカからネグロイド（黒色人種）がモザンビーク海峡を渡って移住したことにより人口の九割以上が、東南アジア系と東アフリカ系の混血である。マダガスカルの人々の顔つきが他のアフリカ諸国の人々と異なっているのは、このためである。また言語体系（マダガスカル語）や食文化（米を主食とする）なども、東南アジアの文化と共通する点が多い。

図3－1　マダガスカル地図

無論、他の世界との交流や接触がまったく

なく、完全に隔絶されつづけてきたわけではない。東アフリカとの奴隷交易や一九世紀末から一九六〇年までつづいたフランスによる植民地支配など、外部世界からの人の移動や侵略の歴史を有している。だが、アフリカ大陸でみられたような他国との国境をめぐる争いや、資源や民族を起因とする対立とは、近年に至るまで無縁であった。

しかし、そのような状況は経済のグローバル化の進展のなかで急激な変化を遂げることになる。とりわけ二一世紀に入ってからのグローバル経済の荒波は、インド洋に浮かぶ島国をいとも簡単に飲み込もうとしている。国土のいたるところで地下資源が乱掘され、二度と取り戻すことのできない貴重な森林資源が伐採されている。そして、それらの資源はこの島に暮らす人々の生活の改善につながることなく国際市場で切り売りされ、日本を含む先進諸国の人々の生活を支える原料となっている。

現在のマダガスカルでは、緑の失われた禿山《はげやま》と穴だらけの荒廃した大地が広がり、悠久のときを刻んできた人々の伝統的な暮らしと豊かな自然は、崩壊の一歩手前にまで追い込まれてしまった。かつての「地上の楽園」は「呪われた大地」へと変わってしまったのである。

†政治混乱がつづくマダガスカルの地で

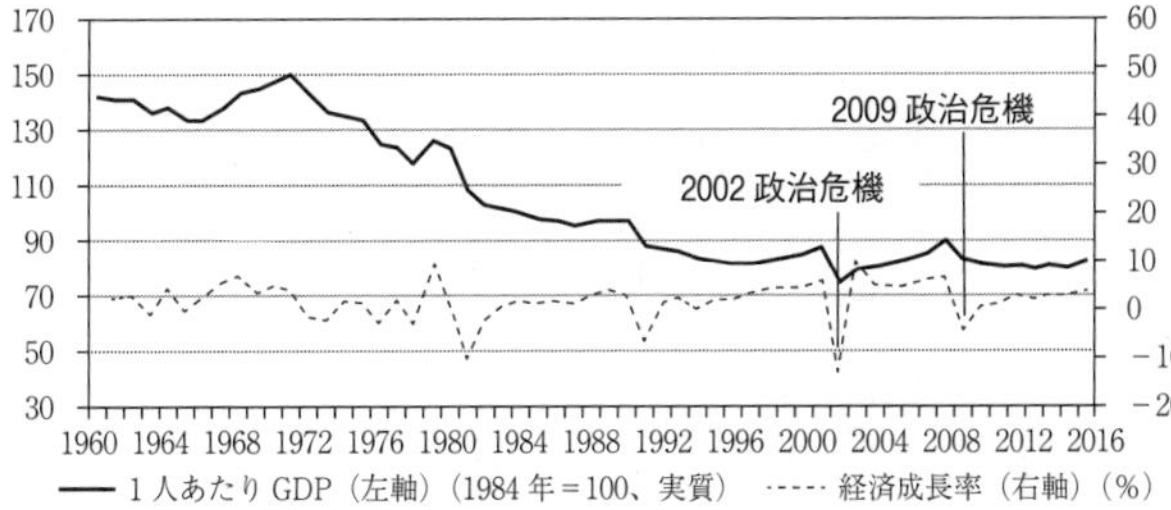

図3-2　マダガスカルにおける1人あたりGDP（実質）と経済成長率の推移　出所：World Bank Open Dataより作成

マダガスカルの人々の暮らしは、極めて貧しい。マダガスカルは、一九六〇年六月にフランスから独立して以来、半世紀以上にわたり地球上でもっとも貧しい国のひとつに位置づけられてきた。

図3-2にみられるように、一人あたりGDP（一九八四年を一〇〇とする）は、一九七〇年代初頭から二〇〇〇年代初頭にかけて半減している。二〇一五年の一人当たりのGDPは四〇二ドルに過ぎず、この水準は、サハラ以南アフリカ諸国の平均一六六〇ドルと比較しても、大きく下回る最貧困国に分類されている。あくまで平均的経済指標で測る限りにおいての比較であるが、マダガスカルの人々の生活水準は下がりつづけているのである。

次に、同じ図3-2から経済成長率に着目してみたい。経済成長率（実質GDP成長率）は、一九九〇年代前半にかけて一パーセント前後の停滞がつづいていたが、九〇年代後半から徐々に好転し始め、二〇〇〇年には四・五パーセントを記録するなど、経済回復の兆しがみえつつあった。しかし二〇〇二年にはマイナス一二・四パーセントと大きく落ち込み、さらに二〇〇九年にも失速してマイナス三・五パーセントを記録し、その後も停滞がつづいている。

一方、マダガスカルの人口は年平均三パーセント近くの爆発的な増加をつづけており、一九九〇年に約一一〇〇万人であった人口は、二〇〇〇年には約一五七〇万人に、二〇一五年には約二四〇〇万人を突破している。

経済成長率が不安定で経済全体のパイがそれほど大きくなっていないのに、人口が急激に増えつづけた結果、一人あたりの所得水準が低位にとどまってしまっているのだ。

そして近年にいたり、マダガスカルのなかでも最下層の人々は、これまでにないほどの悲惨な状況に追い込まれている。アフリカ開発銀行の統計によれば、マダガスカルにおける一日二ドル以下の貧困層の割合は、二一世紀初頭まで七割近い比率を示してきたが、二〇一〇年には八割近くにまで増加してしまった（AfDB, 2012)。農村部や開発の遅れている南部地域に至っては、さらに深刻であり、貧困率は九割にも達する。国民の大半が、生きていくだけで精一杯の生活をおくっているのである。

マダガスカルの貧困状況が深刻化している理由としては、人口増加に経済成長が追いついていないことに加えて、二〇〇九年に生じたクーデタによる政治変動とそれによる社会的影響が挙げられる。本章でみていくように、一時はマダガスカルを再建して国民の生活を豊かにすると確約したラヴァルマナナ政権の失策と、それにつづく内乱と暴力的な政権交代（クーデタ）によって、同国は国際的に孤立を深め、人々の生活は急激に悪化していったのだ。

独立以来、政治的安定と平和を好む穏やかな国と言われていたマダガスカルで、なにが起こっているのか。マクロ経済の数値だけでは想像できない、マダガスカルの人々の姿を素描したあと、政治的混乱の要因を開発の視点から考えてみたい。

†乱掘されるサファイア原石

筆者は二〇〇四年一〇月にはじめてマダガスカルの地に降り立った。首都アンタナナリボから南西に七〇〇キロほど離れた場所にあるイラカカでの調査が目的であった。イラカカでは、二〇〇〇年代初頭からサファイア原石の採掘ブームが巻き起こり、マダガスカル全土から押し寄せた男たちで一〇万人を超える鉱山街が形成されていると言われていた。

曲がりくねった山道を抜け、いくつもの峠を越えると、やがて見渡す限りの地平線がつづく赤茶けた平地にたどり着く。砂埃が舞う乾燥した大地を一直線に伸びる国道七号線を進むと、その両脇に一〇〇軒を超えるサファイアやルビーの原石を買い付ける事務所が立ち並び、膨大な数の鉱夫たちのバラック小屋が放射状に広がる巨大な鉱山街イラカカがみえてくる（図3－3）。

一九九〇年代半ばまでのイラカカは、人口わずか四〇人余りの辺鄙《へんぴ》な集落であった。しかし一九九八年のある日、イラカカに住む一人の男が河辺を歩いていたとき、砂利に紛れて鈍い輝きを放つ石を発見する。小指の先ほどの小さな石であったが、太陽に透かすと淡い赤みのある結晶のすき間から光がこぼれ落ちた。イラカカで最初に発見されたピンク・サファイアの原石である。

マダガスカルでは、すでに一九九〇年代初頭に北部地域において貴石の鉱床が確認されている。南部地域においてもガーネットやクリスタル等の準宝石類は採掘されていたものの、希少なコランダム・グループ（サファイア、ルビー）の原石は見つかっていなかった。

イラカカでピンク・サファイアが見つかったという噂は、マダガスカル全土に瞬く間に広がり、一攫千金《いっかくせんきん》を求める男たちがイラカカに押し寄せてきた。またヨーロッパをはじめ、タイやスリランカからも多額の現金を携えた宝石の仲買人たちが殺到し、次々と買付事務所を開業した。そうして乾いた赤土におおわれた寒村は、熱気と喧騒に充ちた巨大な鉱山街へと変貌したのである。

イラカカでは、カシミール産に比肩するブルー・サファイアや鳩の血の色（ピジョン・

図3-3　イラカカの鉱山街　出所：筆者撮影

ブラッドと呼ばれる最高級品）のルビーに加えて、稀少価値の高いアレキサンドライト（高品質なルース〔裸石〕の市場価格は一カラット一〇〇万円を超える）も発見された。イラカカで産出されたコランダム（サファイア、ルビー）は、ピーク時の二〇〇二年には年間九三二六キログラムに達し、その後も平均して五〇〇〇キログラム程度が採掘されつづけた（図3-4）。これによりマダガスカル産のサファイアは、世界シェアの二〜五割を占めるに至った。

　だが、一攫千金を夢みる鉱夫たちの生活は一様に貧しかった。鉱夫たちは、昼夜を問わず大粒の原石発見を目指して、スコップを振るい、ひたすら掘りつづけ、なかには一〇代前半とみられる少年の姿も見受けられた。

　鉱夫たちは、日本円にして約一五〇〇円の日当を受け取りながら、何年にもわたり採掘をつづけなければならない。わずかな家財道具をたずさえて鉱山街にたどり着いた鉱夫たちは、現地の雇い主と労働契約を結ぶ。

図３－４　イラカカで貴石を採掘する鉱夫たち　出所：筆者撮影

日当のほかに、簡易な住居や食事の提供などを受けることもあるというが、原石を買い叩く仲買人と交渉できるのは英語を解する雇い主だけであり、その過程で多額の「手数料」を差し引かれてしまう。鉱夫たちが採掘したサファイア原石にいくらの値がつけられようと、彼らの手元に残る報酬はわずかである。

これまでのゴールドラッシュをはじめとする鉱山採掘の歴史が教えているように、欲望に駆られた鉱夫たちが多額の現金を手に入れる可能性は皆無に等しく、鉱山ブームも永遠につづくわけではない。ブームから十数年を経過した現在では、鉱山街の人口は三万人にまで減少し、サファイアやルビーも容易に見つからなくなってきている。二〇一四年にイラカカを取材したフリーランス・ジャーナリストであるアーロン・ロスによれば、鉱夫のひとりが次のように語っている（Ross, 2014）。

俺たちは、週六日、朝八時から夕方六時まで掘りつづける。以前は一日一〇ドルも稼げる頃があったが、いまではさっぱりだ。ここ二、三カ月は、まったく見つけてない。多くの鉱夫たちが一二年近くもの間、イラカカで働きつづけている。だが結局、誰も金持ちになった奴はいない。ここに来る前の生活と同じさ。

世界の片隅にあるイラカカであるが、地中深く（鉱床は、大きなものになると深さ三〇メートルにも達する）から掘り出された大量のサファイア原石は、国際宝石市場に供給されつづけている。しかし、過去そして将来も、国際宝石市場からこぼれ落ちる果実は、イラカカで採掘作業をつづける鉱夫たちの手元に行きわたりそうもない。

†蔓延する売春

首都アンタナナリボにあるナイトクラブでは、週末になると離れた場所でも聞こえるほどの大音量で音楽が鳴り響いている。建物のなかは、数百人もの売春婦と、相手を探しにきた欧米人で三階まで溢れかえっている。多くの女性は一二〜一八歳の若さである。なかには八歳か九歳とも思える幼い少女も混じっている。

首都だけではない。北部に浮かぶリゾート地であるノシ・べ島、北部沿岸のアンツィラナナ、北西部沿岸のマハジャンガ、南西部沿岸のトゥリアラ、東部の港町トゥアマシナ――いずれも美しい海に面したマダガスカルの主要な観光地――では、夜になるとビーチ沿いに一群の女性たちが姿をあらわし、時折車が走り抜けると、ヘッドライトの明かりで彼女たちを照らしだす。

彼女たちのような観光地の売春婦の約七割が一二歳から一八歳の少女であり、一晩の相場は一〇から二〇ドル程度と言われている（Ross, 2014）。男たちが過酷な肉体労働に従事する鉱山地域（イラカカ、ムラマンガ）でも同様である。ただし観光地ではない鉱山街では、その相場はさらに下がる。日銭を稼ぐ鉱夫らは五〇セントで女性を買うこともあるという。

国連人権理事会（UNHRC）の指摘によれば、「マダガスカルでは政治危機が発生する以前は、少女売春を厳しく取り締まってきた。しかし二〇〇九年のクーデタ以降、マダガスカルの政治経済は危機的状況に陥り、その影響は社会全体にまで広がってしまった。いまやマダガスカルでは、セックスツーリズムの目的地のひとつとして数えられるほどの、きわめて憂鬱《ゆううつ》な状況が生まれており、人々は職を失い、教育を受けていない子どもたちが急増している。市民生活は壊滅的な打撃を受け、ここ数年、特に少女・少年の売春が急激に増加しており、深刻な問題となっている」（UNHRC, 2013）。

以上のような売春をおこなっている女性の数は、マダガスカル全土で一六万人以上と推定されている（二〇一六年時点）。その数は、マダガスカルで続いた政治的混乱による経済状況の悪化により急増した。外国からの資金援助が滞り、政府予算の削減がおこなわれたため、公共教育を受けられなくなった子どもたちが、わずかな現金を手に入れるためストリートで「経済活動」を営むようになってしまったのである。

✝高級木材の違法伐採

マダガスカルの北東部サヴァ地域、そこには広大な熱帯雨林が広がる保護地域マソアラ国立公園がある。ここではサファイア原石の採掘と同様に、貧困地域からやってきた若者たちが伐採を禁止されている樹木を次々と切り倒している。

違法伐採されているのは、黒檀《こくたん》、紫檀《したん》（ローズウッド）などの高級木材である。これらの木材は、欧米や中国の市場で高級家具や楽器の原材料として高値で取引されている。特に中国では紫檀の人気が高く、細かな装飾加工がされた紫檀製の家具は、日本円で六〇〇万円以上もの値段がつけられることもある。

マダガスカルで伐採された高級木材は、ほぼ全量（九五パーセント）が中国人のバイヤーグループによって買い取られており、マダガスカルから輸入している中国企業は一五〜

二〇社ほど存在する。

国際NGOのグローバル・ウィットネス（Global Witness）／環境調査機関（EIA）の調査報告によれば、ある中国企業は、二〇〇七～一〇年の三年間でコンテナ一〇〇〇個分の紫檀を輸出した。すなわち、約五万本もの木が切り倒されたということだ。そして、高級木材の輸出額は一日あたり四六万ドルにも達していた（Global Witness, 2010）。

大量の高級木材が国際市場に流出する一方で、違法伐採をつづける若者たちの報酬はわずかである。国立公園周辺に暮らし木材伐採にたずさわっている人々は数万人以上、彼らの収入となるのは、輸出額のわずか〇・一パーセントにすぎない。二〇一〇年に、ジャーナリストのロバート・ドレイパー（Robert Draper）は以下のように描写している（Draper, 2010）。

若者たちは森で数週間を過ごす。食べ物は米とコーヒーだけ。伐採する木を選んだら目印をつけて、ボスが到着するのを待つのだ。ボスの合図に従って、彼らは斧を振るい始め、ものの数時間で樹齢五〇〇年の木が地面へと倒される。さらに外側の白い部分を削り落として、暗紫色《あんししょく》の心材だけ残し、長さ二メートルに揃えていく。この丸太を別の男たちが二人一組になって、森から川岸まで運び出す。二日がかりの作業だ。

賃金は距離に応じて丸太一本当たり九〇〇～一八〇〇〇円ほどになる。

なぜ、マダガスカルでこのような無秩序な伐採と輸出が拡大してしまったのか。そこには、「木材貴族」（timber barons）と呼ばれる商人たちにとって都合の良い、数々の「抜け穴」が用意されてきたからである。

マダガスカルでは二〇〇〇年に制定された政令で、黒檀や紫檀などの希少木材の輸出は、原則として禁止された。ただし、輸出禁止の対象とされたのは、製材前の原木のみであり、半製品（加工途中の木材）や完成品（木製の扉、家具など）の輸出は許可されていた。輸出業者は、税関へリベート（賄賂）をわたし、伐採された木材を「半製品」と申告して、輸出の許可を受けるようになった。

また自然災害も絶好のビジネスチャンスとなる。島国であるマダガスカルは、定期的に大型サイクロンに見舞われる。サイクロンが通過した後、政府は被害木（風で倒されたり、欠損した木々）を「リサイクル」（現金化）するための特別輸出許可を出してきた。「木材貴族」はあらかじめ希少木材をストックしておき、政府の特別許可が出ると、それらの備蓄を被害木として「合法的に」放出する。

そして、二〇〇九年以降の政治的混乱期にかけて、特に高級木材の輸出が急増した。二〇〇九年のクーデタにより暫定大統領となったラジョエリナは、一三の貿易業者を指定して高級木材の輸出を許可するという特例をだしたのである。その結果、特例がだされた二〇〇九年の一年間だけで、約一〇万本もの高級木材が輸出された。この特例がだされた背景には、ラジョエリナ暫定大統領や森林省とバイヤーグループとの間で「特別な関係」があったと国際NGOは指摘している。

以上のようなマダガスカルの森林保護区で繰り返される希少木材の乱伐に対して、国際NGOや環境保護団体は、マダガスカルの法制度の問題点や、政権とバイヤーとの癒着関係を指摘する報告書を次々と発表している。国際的な批判にさらされたラジョエリナ暫定政権は翌年に特例を撤回し、希少木材の伐採、輸送、輸出を無条件に禁止する法律を制定した。

だが、実際にはそれ以降も大量の違法伐採と輸出が続き、二〇一〇年以降の数年間で三五万本が国外に流出したと推算されている。法律は制定されても、政治的混乱が続くなかで予算が少ない暫定政府が、実質的な取り締まりをおこなわなかったからだ。

このようなマダガスカルの状況に対して、ついに国際的な制限措置が講じられた。二〇一三年に、ワシントン条約においてローズウッド種の商業的な国際取引の制限措置（附属書IIに指定）が決定されたのである。これによりローズウッドの輸出には、マダガスカル政府の発行する輸出許可書が必要となり、商業取引に制限が課せられることとなった。

だが、これで問題が解決したわけではない。長年の乱伐により、国立公園の黒檀や紫檀の立木はすでにほとんど失われてしまった。これらの貴重な木々の再生には、少なくとも一世紀以上もの長い年月が必要だ。

また二〇一四年に就任したラジャオナリマンピアニナ大統領は、違法伐採の撲滅計画を発表し、過去に伐採された木材を押収して政府の管理下に置くことにした。だが、マダガスカル国内に残っている希少木材のストックは三〇万本以上あり、それらを適切に処理・管理（立木数の調査、政府の押収備蓄の管理、不法備蓄の調査等）する準備が整っていないのが現状である。

2 ラヴァルマナナ政権と外資による農地開発

†二〇〇二年政治危機とラヴァルマナナ政権の誕生

サファイア・ラッシュに揺れるイラカカ鉱山の労働者たちの貧困、欧米の観光客によるセックスツーリズムの対象とされる少年少女、樹齢数百年の樹木が違法伐採されつづけてきた惨状、これらは現代のマダガスカル社会の病巣の一部分を描写したにすぎない。一九六〇年のフランスによる植民地支配から独立して以来、半世紀以上にもわたり、なぜマダガスカルは貧困国でありつづけているのだろうか。

独立後のマダガスカルは、一九七六年に就任したディディエ・ラチラカ大統領による社会主義型の経済体制によって幕を開けた。ラチラカ大統領は、長年にわたるフランスとの経済関係を断ち切るため、フランス系企業の国有化や保護貿易による貿易制限、輸入代替工業化などを実施することで、マダガスカルの経済的自立に向けて急旋回を図った（飯田二〇一三）。

しかし、独立後の他のアフリカ諸国がそうであったように、脆弱な経済基盤の育成に重きをおかず、外部資金に依存しきった大規模投資プログラムは、すぐに欠点が露呈して破綻にむかうことになる。一九八〇年代のオイルショックと深刻な累積債務問題が顕在化し、マダガスカルの経済は完全に疲弊していった。その後、ＩＭＦ・世銀による構造調整プログラムのもと、民主化と市場経済化が進められるも、一九九〇年代を通じて長らく経済停滞がつづいていた。

この永遠につづくかのような経済の低迷と、その責任を問われることなく権力の座に居座りつづけたラチラカ政権に終止符を打つべく登場したのが、当時五二歳であったマーク・ラヴァルマナナであった（図3－5）。

マダガスカルで最大の乳製品・ヨーグルトの製造会社を経営するラヴァルマナナは、マダガスカルの商業界で大きな成功をおさめた実業家である。一九九九年に首都アンタナナリボ市長に就任し、次々と大規模なインフラ整備を実施して首都圏を中心に圧倒的な支持を獲得していった。自信に満ち、端整な顔立ちでビジネススーツを着こなすラヴァルマナナは、長きにわたる貧困と経済停滞に苦しんできたマダガスカルの民衆にとって希望の星に映ったに違いない。

二〇〇一年一二月におこなわれた大統領選挙では、依然として政権に固執するラチラカと野党ＴＩＭ（Tiako I Madagasikara：マダガスカルを愛する党の意）党首ラヴァルマナナの直接対決が繰り広げられた。長期政権を意のままに操り国家を私物化してきたラチラカに対して、民衆に寄り添い国民の統合を呼びかける若き実業家ラヴァルマナナは、変化を求める首都圏を中心とした若者の圧倒的な支持を集めることに成功した。

図3－5　ラヴァルマナナ大統領
提供：アフロ

大統領選挙の結果は、ラチラカの得票率が四〇パーセントであったのに対して、ラヴァルマナナが四六パーセントを獲得し、僅差ではあったがラヴァルマナナの勝利が発表された。

これを受けて、結果に不満をもったラチラカは、選挙の不正と無効化を宣言し、北東部の港市トゥアマシナへの「遷都」を宣言する暴挙にでた。一方、首都アンタナナリボおよびその周辺地域の民衆は、圧倒的なラヴァルマナナ支持を表明した。そのため、両者が大統領選挙の勝利宣言をおこない、二人の大統領が並立し、両陣営が対立するというマダガスカルの歴史が始まって以来の混乱状態に陥ってしまった。数カ月におよぶ膠着《こうちゃく》状態がつづいた後、最高裁判所の判決によりラヴァルマナナの勝利が確定し、翌二〇〇二年七月にラチラカはフランスへ国外退去を遂げた。

†ラヴァルマナナ政権

政治危機が終息した翌二〇〇三年には、経済成長率が九・八パーセントという高い数値を記録する。民衆の期待を背負ったラヴァルマナナ大統領は、雑誌のインタビュー記事で確信に満ちた表情で次のように宣言している（Jeune Afrique l'intelligent, 23-29 novembre 2003）。

マダガスカルの経済発展を促進させる唯一の手段は、民間企業との提携である。過去の社会主義政策の最大の失敗は、国家が生産活動を引き受けることができなかったことにある。

ラヴァルマナナ大統領は、二〇〇三年一二月には、植民地化以前に流通していた通貨の呼称（アリアリ：Ariary）を復活させて通貨単位を一新し、新しいマダガスカル国家の誕生を国民にアピールした。また、具体的な発展へのロードマップとなる「マダガスカル行動計画」（MAP：Madagascar Action Plan）を発表して、国民に明るい将来を確約した。

特に民間部門の発展に関しては、「経済のあらゆる部門で雇用創出を促進させるためにも現地企業の発展が不可欠であり、そのような企業を支えるためにも外国投資の誘致が必要である。……我が国の政策は、投資促進を基盤としており、それは雇用の創出と職業訓練の強化、そしてマダガスカル国民の生活水準の向上に資するものと確信している」と述べている。

ラヴァルマナナ政権は、外国投資の誘致を最優先事項に掲げ、性急な国内市場の開放と農業部門や鉱物資源部門への外国投資の規制緩和を進めた。その結果、マダガスカルの歴史がはじまって以来の混乱の時代が幕をあけたのである。まずは、国民の想像を絶するほどの大規模な農地開発プロジェクトについて詳しく述べていきたい。

†外資主導による大規模農業開発

二〇〇〇年代後半以降、石油価格と連動した食料の国際価格の高騰やバイオ燃料用の農作物需要の増加によって、実需が急増している湾岸産油国や新興国、食料資源の乏しい富裕国は、「食料の安全保障」を目的とする発展途上国で大規模な農地開発を開始していった。このような大規模な農地開発はマダガスカルだけではなく、他のアフリカ地域においても同様にみられる現象である（第6章参照）。

ラヴァルマナナ大統領は、世界規模で展開される農地開発プロジェクトの時流に乗って、一気呵成に成長の機会をつかみ取ろうとしたのかもしれない。韓国やインドなどの外国企業と大規模農地開発プロジェクトを開始したのである。しかしながら、その杜撰《ずさん》で、不透明な政府と外国企業との取引は、国民の怒りを爆発させる導火線の役割を果たすことになった。

なかでも政府と韓国企業、インド企業とのあいだで計画された大規模農地開発プロジェクトは、「祖先から伝わる土地の投げ売り」という国民の激しい批判を浴びることになり、ラヴァルマナナの政治生命に致命的な打撃を与えることになった。

†韓国企業への国土の投げ売り

二〇〇八年一一月一八日、英フィナンシャル・タイムズ紙上で、マダガスカルでの農地開発の記事が報道される。マダガスカル国民は、この報道により明らかになった、政府と韓国企業との間で秘密裏に進められていた開発計画の内容に驚愕した。

政府は、韓国の大宇ロジスティックス（Daewoo Logistics）社と、三〇〇万ヘクタールの土地でのアブラヤシ（パーム油）の生産、一〇〇万ヘクタールの穀物（トウモロコシ）生産の合計一三〇〇万ヘクタールという大規模農業開発を計画していたのである。一三〇〇万ヘクタールとは、長野県全域に相当する広さの土地であり、農地開発の対象地域は、首都から離れた四つの州にまたがる西部沿海地域であった。

計画の詳細は以下の通りである。トウモロコシは家畜飼料の材料として年間四〇〇万トン、パーム油はバイオ燃料向けの原料として年間五〇〇万トン生産され、これらはすべて韓国などに輸出される。またマダガスカル政府と韓国企業との間の契約では、現地の農民が先祖代々受け継いできた農地を収用して、開発用地として韓国企業に提供されることもうたわれていた。韓国企業による投資総額は六〇億ドルで、賃借期間は九九年間の無償リースである。
大宇ロジスティックス社の担当者（当時）は、次のようなコメントを残している。

我が社は韓国の食料安全保障のために、マダガスカルでのトウモロコシ生産を計画している。外国での食料生産は、将来の大きな武器となるだろう。生産された農産物は、韓国以外の第三国に輸出することもできるし、韓国で食料危機が発生した際にはマダガスカルから食糧調達も可能だ。マダガスカルには手つかずの広大な土地が残されている。そのような土地を開発することで現地では雇用が生まれ、マダガスカルの大きな利益につながるはずだ。

担当者はマダガスカルでの雇用創出に貢献すると胸を張るが、その代わりに膨大な数の農民が住む場所と生活の糧である田畑を失うことになる。さらに、農園の管理者には南アフリカ出身の労働者を雇い入れるとも噂された。
また外資主導によるこの農地開発計画では、マダガスカル国民の食料安全保障はまったく触れられていない。国連の世界食糧計画（ＷＦＰ）が約六〇万人分の食糧援助を続けなければならない国で、外国の家畜飼料生産向けの農地開発が進められようとしていたのだ。

†インド・ヴァラン社との契約

このような韓国との巨大な農地開発プロジェクトに加えて、インドのヴァラン社(Varun International)との農地開発計画も政府が秘密裏に進められていることも明るみにでた。対象用地は、マダガスカル北西部に広がるソイファ地域の二三万ヘクタールの土地である。韓国企業との取引と同様に、五〇年間(九九年間まで延長可能)の土地の賃借契約が盛り込まれていた。計画によれば、ヴァラン社が導入する化学肥料、高収量品種(HYV)、殺虫剤の頒布等を用いた近代的農業手法によって、現在一ヘクタールあたり三トンの米の生産量が一〇~一二トンにまで増産され、マダガスカルの農地の生産性が飛躍的に高まるとされていた。

インドのヴァラン社は、契約締結後一〇年間で一五億ドルを投資して、年間八〇万トンの米と四〇万トンのトウモロコシを生産する予定であった。マダガスカルでは年間一六〇万トンの米が生産されているので、国内生産の半分に相当する米をインドの一企業が担うことになる。

ヴァラン社が進めていた計画によれば、二三万ヘクタールのうち、六万ヘクタールはマダガスカル政府の国有地から、残りの一七万ヘクタールは一三の農業組合が管理する農地をリースする予定であった。この一三の農業組合のもとには、二五万人のマダガスカルの農民が所属している。生産された農産物の七割はヴァラン社が販売し、残りの三割は農業組合を通じて現地農民に分配される。

このことは何を意味しているのか。たとえば一ヘクタールの畑で収量一〇トンの米が生産された場合、七トンがヴァラン社の所有となり、三トンが農業組合に分配されることになる（図3-6）。ところが、この農業組合の取り分の三トンのうち七割（二・一トン）はヴァラン社が指定する価格で買い上げるとされているので、現地農家に配給される実質的な取り分は九〇〇キログラムにすぎない。さらにこれは、精米後には五八五キロにまで減量されてしまう。

これでは、マダガスカル平均の五人家族が消費する年間七〇〇キログラムの米の量さえ下まわってしまう。そのため農家も、不足分については、ヴァラン社が国内販売する米を、市場を通じて買い増さなければならなくなってしまうのだ。

さらに以上の米の一ヘクタールあたりの収穫量は、ヴァラン社により発表された仮定の数値にすぎない。実際には、一ヘクタールあたり一〇トンもの米の生産は現実的に不可能に近い。たとえば国連食糧農業機関（FAO）の統計によれば、二〇一一年のマダガスカルにおける米の単収は、一ヘクタールあたり平均二・九トン程度である。アジア・太平洋

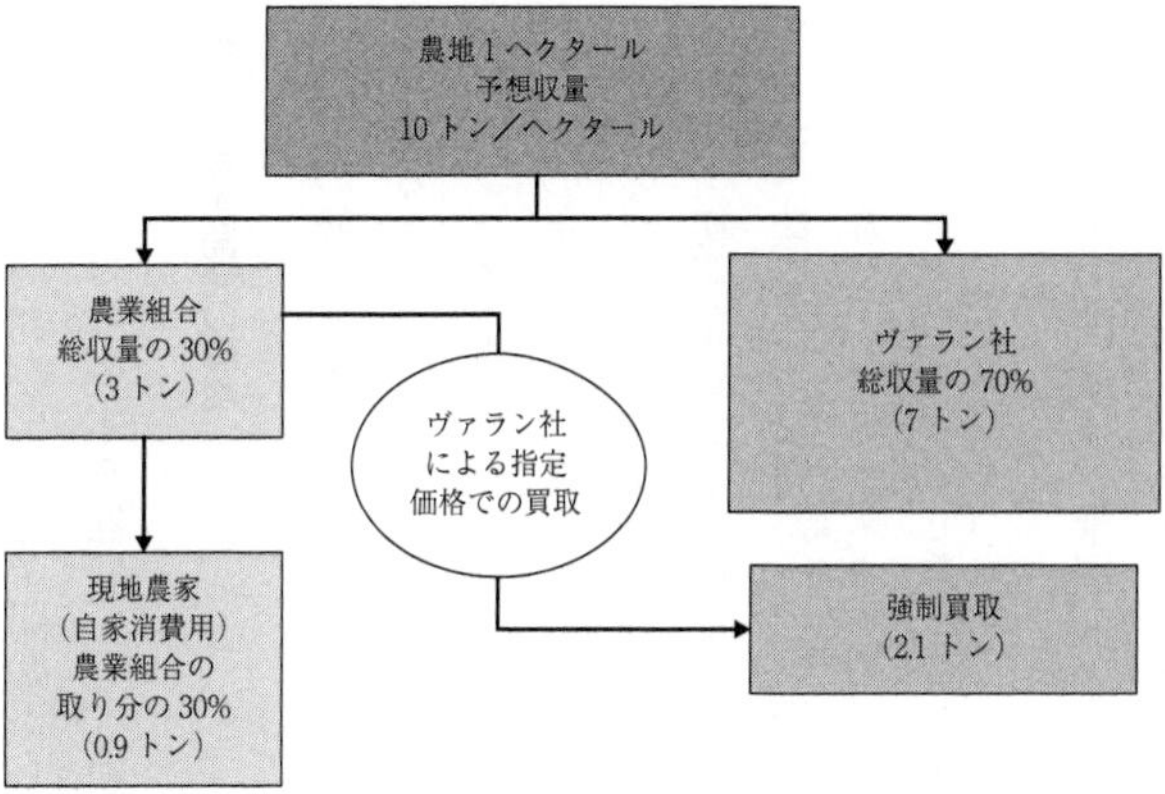

図3-6　ヴァラン社の農地開発スキーム　出所：Andrianirina, R., "After Daewoo? Current status and perspectives of large-scale land acquisition in Madagascar", ILC, 2011.

地域の平均でも四・五トンであるので、ヴァラン社が発表していた数値は、非現実的と言わざるをえない。

しかしながら、農業生産性の大幅改善のメリットを持ちかけることで、地域の農業組合や政府は外国企業の開発に簡単に同意してしまった。ドイツ技術協力機関（GTZ）の発表した報告書によれば、二〇〇九年一月時点で一三の農業組合のうち九人の組合長がヴァラン社農地開発の同意契約書にサインをしていたことが明らかとなっている（GTZ, 2009）。

同契約内容は、地元住民の理解を抜きにした契約であったばかりか、貧しい農民をさらに貧しい生活に追いやる、地元住民にとって極めて不利なものであった。一方、ヴァラン社の利益は、生産開始から五年後には年間三億ドルに達するものと推定され、わずか数年で投下資本を回収でき、あとは利益をだしつづける予定になっていた。

†狙われる未開発の農地

以上の韓国とインドの二つのプロジェクトは、契約直後から国民の激しい反感を買い、後述するように二〇〇九年一月のクーデタに結びついた。ラヴァルマナナ政権の崩壊後、両プロジェクトは白紙撤回されることになったが、それ以外にもマダガスカルでは二〇〇五〜一〇年の間に、すでに五二件を超える農地開発計画が発表されていた。

多くのプロジェクトが、政治危機や世界金融危機の影響ですでに中止に追い込まれているが、当初開発を予定されていた対象用地の総面積は三〇〇万ヘクタール以上に達していた（Andrianirina, 2011）。三〇〇万ヘクタールという土地面積は、にわかには想像できない広さであるが、マダガスカルの二四〇万世帯の農家が耕作地としている農地の総面積が三六七万ヘクタールほどであることから、その広大さが如何《いか》ほどであるかが想像できるだろう。

投資企業の国籍は、米国（ひまわり油）、オーストラリア（ジャトロファ）、レバノン（ジャトロファ）、南アフリカ（サトウキビ）、イタリア（ジャトロファ）と、欧米諸国を中心に世界中の多国籍企業が名を連ねている。たとえばイギリスのバイオ燃料企業（GEM Bio-Fuels社）は二〇〇五年からマダガスカルでのバイオ燃料向け農産物（ジャトロファ）生産事業に着手している。GEM BioFuels社は初期生産として一～三万ヘクタールの中規模ジャトロファ栽培事業を北東部ですでに開始しており、今後は一八の現地共同体と総面積約四五万ヘクタールのジャトロファ栽培専用農地の取得契約を締結する予定である。

以上のような外資による大規模な農地開発と対照的であるのが、マダガスカルの農村で伝統的に営まれている農業部門である。

一般的に農業は、林業、漁業、牧畜業などとあわせて第一次産業と総称される。マダガスカルの第一次産業はGDPの三割しか占めないものの、人口の七割以上が従事している（農村部では人口の八～九割以上に達する）。すなわち第一次産業は、マダガスカルに暮らす一九〇〇万人の人々が生計を立てている極めて重要な産業だ（マダガスカルの農民は、実際には、稲作と同時に、家畜牛〔セブ牛〕を飼ったり、薪や木炭を生産したりするので、ここでの統計は農業＝第一次産業と分類している）。

マダガスカルの農家のほとんどは零細農業を営んでいる。農民は、主食となる米やキャッサバなどを栽培して地元の商人に買いとってもらうことで生計を立てているが、そうした現金収入は生活に必要な品々（料理油や食品、薬、石鹼、照明に使う灯油など）で消えてしまう。収穫した米の一部は自家消費にまわされるが、それを食べ尽くしてしまい、現金が底を尽きた農民は地元の商人からお金を借りることになる。借りたお金は次の収穫の時期に返済を迫られる。このようにマダガスカルの多くの農家が、負債を抱えながら貧しい暮らしを送っている。

またマダガスカルでは灌漑や農業機械化などが進んでいないため、一ヘクタールあたりの米の収量は依然として低い水準にとどまっている。そのため、主食である米でさえ自給できておらず、毎年二〇万トンから三五万トンを輸入している状況である。米の増産と自給体制の確立は、政府の重要課題でありつづけてきた。

そのような国民の実情を無視したかたちでおこなわれようとしているのが、ここまでみてきたような外資による大規模な農業投資計画であった。国民が自給できないばかりか、多くの国民がわずかな現金収入しかない状態に追い込まれてしまっているにもかかわらず、外国企業の利益を最優先に掲げたバイオ燃料や家畜飼料向けの穀物栽培が開始されようとしていたのだ。

3　国家崩壊の危機と大規模開発プロジェクト

†二度めの政治危機——劣等国家への転落

ラヴァルマナナ大統領が主導する大規模農地開発プロジェクトは、国民の大きな反発を招くことになった。

クーデタの直接的なきっかけは比較的小さな事件であった。二〇〇八年一二月、当時アンタナナリボ市長であったアンドリー・ラジョエリナは、自ら経営するテレビ局でラヴァルマナナの政策に対する批判をおこない、元大統領のディディエ・ラチラカのインタビューを放映した。これに対して、ラヴァルマナナ大統領はすぐさま同テレビ局の強制閉鎖を命じる。二〇〇九年一月、ラジョエリナはゼネストと抗議デモを呼びかけ、デモ鎮圧にあたるラヴァルマナナ大統領との衝突がエスカレートしていった。

混乱に乗じて民衆は、町のスーパーに殺到し、放火して食料を略奪した。町のあちこちで黒煙があがり、大統領警備隊が出動してデモ隊に向けて発砲した。首都アンタナナリボは混乱状態に陥り、放火や暴動による騒乱で七〇人以上が死亡した。群衆に包囲されたラヴァルマナナ大統領が国外脱出をはかると、ラジョエリナが暫定政権を樹立して大統領への就任宣言をすることで、政権交代を巡る混乱は一応、終結した。

マダガスカルのクーデタの直接的な要因は、現政権を批判したためにラジョエリナの運営するテレビ局が閉鎖されたことと報じられたが、根本的な要因は、次々に取り交わされる外国企業との不透明な大規模開発計画に民衆の不満が鬱積《うっせき》していたことにある。

政権を奪取したラジョエリナは、二年以内に正式な大統領・議会選挙を実施することを公約したが、クーデタで政権についたため国際社会から大統領としての地位を認められず、マダガスカルは、暴力的手段で政権が交代する「劣等国家」の烙印《らくいん》を押されてしまった。内戦にまではかろうじて発展しなかったものの、マダガスカルは国際社会から統治能力の低い「脆弱国家」に分類され、貧しさにあえぎ、生き残るために他人を顧みずに暴力という野蛮な手段にしか訴えることのできない「開発に失敗した国」と評価されたのである。

国際社会から見放された最貧国の末路は悲惨である。その最大の犠牲者は、権力闘争に明け暮れる政治家や官僚たちではなく、マダガスカルの民衆であった。本章の前半でみてきたとおり、とりわけ女性や子供たちといった社会的弱者の生活は絶望的な状況に追い込まれ、外国人相手の売春をしなければ生きていけないようになってしまったのである。

†社会的影響

その影響を詳しくみていこう。まずクーデタという暴力的な政変と民衆の暴動にともなう治安情勢の悪化によって、観光部門が壊滅的な打撃を受けることになった。マダガスカルへの年間の観光客数は、二〇〇八年の約三七万人から二〇〇九年には一六万人へと激減し、ホテルの空室率は六割に達した。観光部門はマダガスカル政府にとって繊維産業に次ぐ収入源であるが、政変後には観光部門からの政府の歳入は半減し、手工業部門などの間接雇用を含めると三三万人以上の人々が職を失ったとされている。

最大の輸出産業である繊維部門も大きなダメージを受けた。米国が主導するアフリカ成長機会法（AGOA：African Growth and Opportunity Act）の対象国としてマダガスカルは繊維製品を中心とする免税輸入品目の拡大と数量制限の大幅緩和が適用されていたが、政治的混乱を理由に中断され、多くの現地繊維企業・工場が閉鎖に追い込まれた。繊維部門では、二〇〇八年から二〇一〇年にかけて輸出が七割も減少し、二万六〇〇〇人以上の雇用が失われたと言われている。

観光部門や繊維部門の落ち込みだけではない。「劣等国家」の烙印を押されたマダガスカルは、外国からの援助額も激減した。人道支援を除くＯＤＡは、二〇〇八年には六億二六四〇万ドルあったが、二〇一〇年に四億四六五〇万ドルに激減する。もともと政府予算の四〜五割がドナー（援助国・機関）からの援助によって賄われていたため、二〇一〇年七月に暫定政権のもとで編成された財政予算は、当初の六五パーセントがカットされることとなった。これは、あらゆる省庁予算が五割から七割の削減を強いられたことを意味している。

大学をはじめとする教育機関では給料未払いの教員によるストが長期化し、多くの病院が閉鎖された。人々は無気力となり闇経済が拡延し、大量の失業者は行き場を失い、犯罪に走った。アンタナナリボの中央市場は物乞いをする子供たちで溢れかえり、街角は売春婦で埋め尽くされるようになった。

政治危機以前にあった、薄紫色のジャカランダの花が咲き誇り、ゆったりと買い物を楽しむ首都アンタナナリボの風景は一変してしまった。国民の生活レベルの悪化は日に日に深刻さを増し、社会的インフラは崩壊直前にまで追い込まれていったのである。

†資源富裕国という幻想

国家が崩壊の危機に瀕しているなかで、外資による大規模投資だけは際立って好調な数値を記録しつづけていた。

図3－7はマダガスカルへの外国直接投資（ＦＤＩ）流入額を示している。一九九〇年代から二〇〇五年までのＦＤＩ流入額は一億ドル程度であったが、二〇〇六年には三倍の約三億ドルに、次いで二〇〇八年には一一億六九〇〇万ドルに急増した。

政治的混乱後においても、大幅な落ち込みは記録しておらず、二〇一〇年以降も八億ド

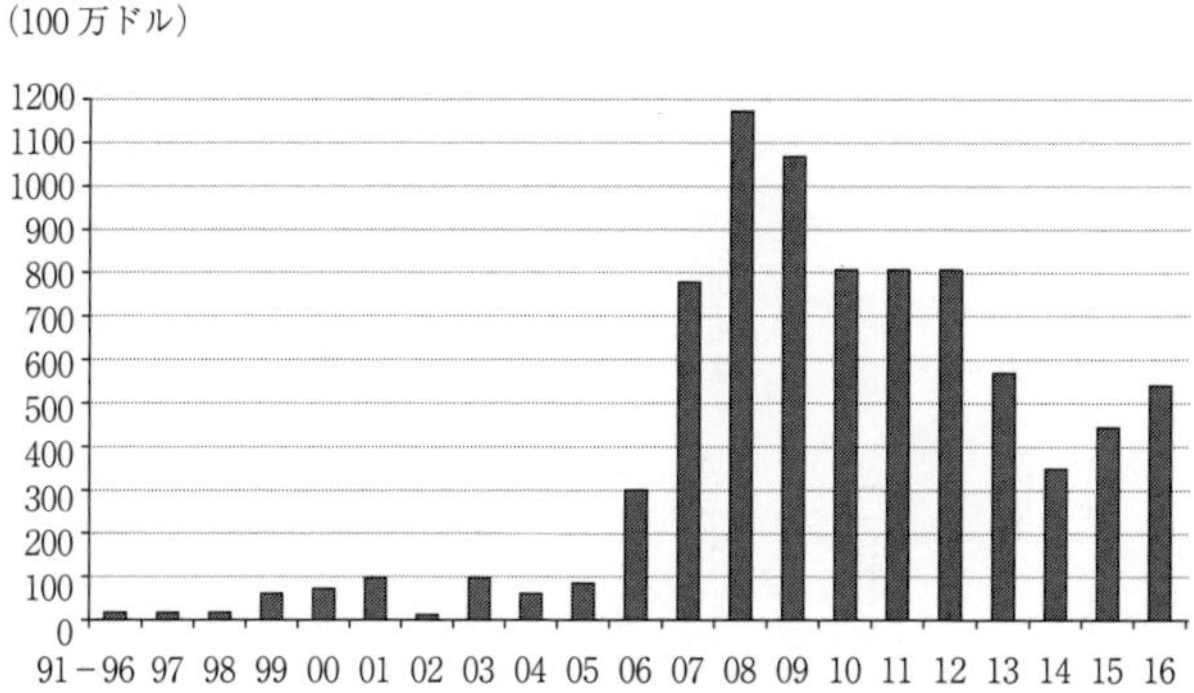

＊1991〜96年は年平均

図3－7　マダガスカルへの外国直接投資流入額　出所：UNCTAD, *World Investment Report* 各年度より作成

ル前後という高い水準を維持していた。これはアフリカ諸国のなかでも上位一〇位圏内にはいるレベルである。

ラヴァルマナナ大統領が政権発足当初から推し進めてきた市場自由化政策とＦＤＩ誘致の促進政策の結果、マダガスカルはアフリカ、あるいは発展途上諸国全体のなかでもＦＤＩ受け入れ上位国に名を連ねるようになったのである。

しかしながら、この巨額の投下資金が向かう先は、八割以上が資源採掘部門である。そして、以下に説明するように、そのようなＦＤＩのうち、アンバトビー・プロジェクトとＱＭＭプロジェクトと呼ばれる多国籍企業による二つの大規模な鉱山資源開発プロジェクトが、マダガスカルの光景を一変させた。

先導する巨大プロジェクトの開始によって、

今後マダガスカルではさらに全土で鉱山開発が進むと予想されている。多国籍企業は、これまでインド洋に浮かぶ貧困国としかみなしていなかったマダガスカルを、未開発の膨大な資源が眠る「黄金郷」とみなすようになったのである。近年、マダガスカル政府は、国土のいたるところで産出される鉱物資源の探鉱に関わるライセンス契約を次々とかわしている。その鉱石の種類は、金、鉄鉱石、ニッケル、コバルト、銅、石炭、ウラニウムなど多様である。

ドイツの鉱山会社タンタルス社（Tantalus Rare Earths AG）は、フランスの化学会社とともにマダガスカル北西部アンパシンダーヴァでのレアアース採掘計画を発表しており、年間一万五〇〇〇トン（推定市場価格二〇億ユーロ）の生産を計画している。

フランス通信社（AFP）記者のインタビューで、タンタルス社のある幹部は次のように発言している（François Becker,《De Madagascar, un Allemand allié à Rhodia veut régner sur les terres rares》, AFP, 23 avril 2012）。

マダガスカル政府は、自分たちがどのような地にいるかにまったく気が付いていない。石油やダイヤモンド、金でも採掘されない限り、（タンタルス社が）開発対象としている土地になんら関心を抱いていない。

この発言は、多国籍企業と政府との関係がいかにバランスが欠けたものであるかをはっきりと示しているのではないだろうか。

†アンバトビー・プロジェクト

ここで、すでに生産が開始され、その投資総額と規模ゆえに世界的な注目を集めている二つの大規模資源開発の事例をみていきたい。

まずは、アンバトビー・プロジェクトと呼ばれるカナダ、韓国、日本の合弁企業によるレアメタルの採掘プロジェクトである。

アンバトビー・プロジェクトは、マダガスカル東北部で首都アンタナナリボから東に九〇キロメートル、人口三万人の小規模な市街地ムラマンガからさらに山深い僻地が開発対象地となっている（図3－8）。

投資総額は三七億ドルで、カナダのシェリット社（Sherritt）（四〇パーセント）、韓国のコリア・リソーシズ社（Korea Resources）（二七・五パーセント）、日本の住友商事（二七・五パーセント）、カナダのSNCラバラン社（SNC-Lavalin）（五パーセント）が総額一六億ドルを出資し、カナダ輸出開発公社、国際協力銀行、韓国輸出入銀行、欧州投資銀行、アフリカ開発銀行が二一億ドルの協調融資をするプロジェクト・ファイナンスが組成された。

日本の商社も含めた合弁会社が採掘しているのは、世界的な需要の高まりが指摘されている、レアメタルの代表格ニッケルとコバルトである。ニッケルは、建築資材としてニッケル含有ステンレス鋼や特殊鋼、携帯電話やノート型パソコン等の電池材料、電子材料などに広く使われており、ハイテク関連の材料として不可欠のレアメタルである。同様にコバルトも携帯電話やノート型パソコンのリチウムイオン二次電池として、また特殊鋼や塗料として使用されている。

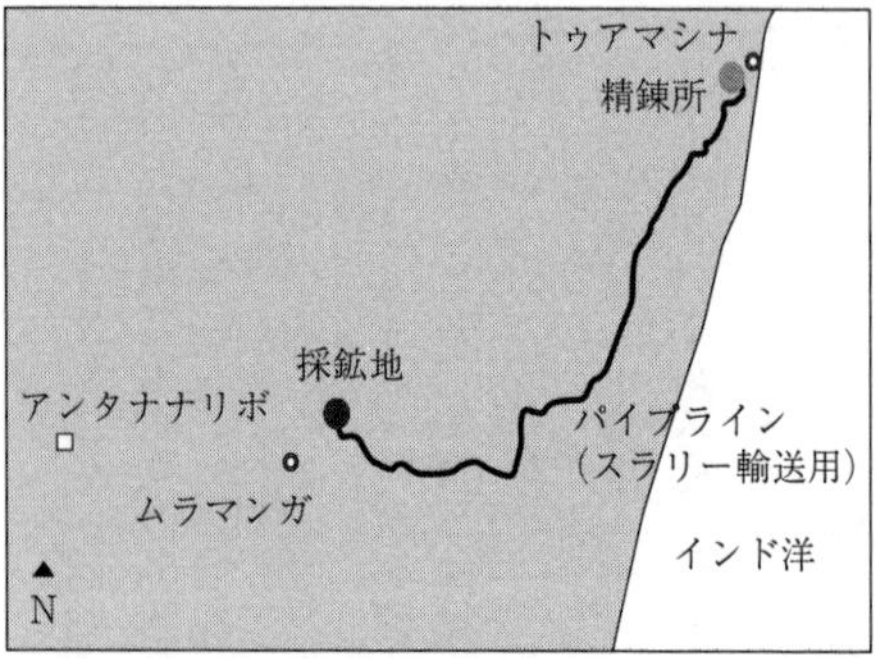

図3－8　アンバトビー・プロジェクト　出所：Sherritt社ウェブサイトを参照して作成

アンバトビー・プロジェクトでの採掘は、約一八〇〇ヘクタールの広さの露天鉱床（オープン・ピット）でおこなわれる。そして採掘された鉱石を含む土砂は、水圧を利用した二二〇キロメートルのパイプラインで北東部沿岸のトゥアマシナ港に運ばれる。パイプライン輸送や精錬のために必要な大量の水は周辺の河川から供給され、トゥアマシナ近郊に建設された精錬工場で選鉱される。精錬過程で生じる選鉱くずは採掘期間（二七年間）で二億二〇〇〇万トンにも達する。その大量の土砂は、精錬工場付近に設置された広大な尾鉱ダム（廃鉱石や余剰水を破棄するための人口湖）に埋め立てられる。

以上のようなプロセスを通じて生産されるニッケルは年間六万トン、コバルトは年間五六〇〇トン、副産物として生じる化学肥料（窒素肥料）は年間二一万トンである。

アンバトビー・プロジェクトの実現によって、マダガスカルのニッケル・コバルトの世界生産に占めるシェアは、それぞれ一〇パーセント、五パーセントとなり、世界有数の鉱山国のひとつとなった。また、ニッケルの鉱石生産では海外大手の寡占《かせん》体制が進む中で、それらの世界的巨大資源会社に属さない住友商事などによるプロジェクトであることも注目を浴びた。

当初、協調融資に踏み切ったアフリカ開発銀行は、次のようにアンバトビー・プロジェクトを評価している（AfDB, 2007）。

アンバトビー・プロジェクトで推定される操業コストは、世界で最も低コストの水準に位置づけられる。ニッケル、コバルト、化学肥料は二七年間のプロジェクト期間で総額二六七億ドルの売上になると予想され、同期間でマダガスカル政府に支払われる、鉱山開発権、地方税、法人税、配当などは総額二五・四億ドルとなる。国際金融機関による約二〇億ドルのプロジェクト融資に対して受け取る利子の総額は一五億ドルであるが、多国籍企業の税引き後の純利益は一〇〇億ドル以上に達する。現在の市況がつづけば投下資金は、生産開始から六～七年で回収できるだろう。

世界有数のレアメタル鉱床の開発は、資源富裕国としてのマダガスカルの国際的な認知度を飛躍的に高めることにつながった。アンバトビー・プロジェクトに限らず、鉄鉱石やレア・アース等の新たな鉱山開発も進められている。

なお、巨額のリターンを見込んで開始されたアンバトビー・プロジェクトであったが、近年では、国際資源価格の低迷という価格変動リスクに直面して、苦境に立たされることとなった。二〇〇七年に一ポンドあたり二四・五ドルであったニッケル価格は、国際需要の低迷と供給過多を原因として二〇一五年には六ドル、二〇一六年二月には三・七ドルにまで下落した。また、精錬プラント建設の遅れにより、商業ベースでの生産は二年遅れ、輸出は二〇一四年二月から開始され、最終的な事業費は七二億ドルにまで膨らんだと言われている。

†QMMプロジェクト

アンバトビーと並立する大規模鉱山開発が、英国に本拠をおくリオ・ティント社（Rio Tinto）の主導するQMMプロジェクトである。QMMは、マダガスカルの国営会社（OMNIS：l'Office des Mines Nationales et des Industries Stratégiques：鉱山・工業戦略国営公社）が二〇パーセント、リオ・ティント社が八〇パーセントの権益をもつ合弁会社の名称である。リオ・ティント社は、世界有数の巨大な鉱山会社であり、二〇一〇年の資本金の規模では世界第三位、同年の年間収益は五七〇億ドルを計上している。五七〇億ドルといえば、マダガスカルのGDPの六倍に相当する規模である。

二〇〇九年五月には、マダガスカル南東部のアノジー地域の沿海部に位置する六〇〇〇ヘクタールの採掘用地で、チタン鉄鉱（イルメナイト精鉱）の生産・輸出が開始されている。QMMでは、年間七五万トンほどのチタン鉄鉱が採掘されており、これは世界のチタン生産の一割に相当する。

このアノジー鉱山におけるチタン鉄鉱の埋蔵量は七五〇〇万トンと推定されており、単純計算すれば今後、一〇〇年間にわたって採掘可能ということになる。サイト用地には、採掘会社・分離工場が建設され、チタン鉄鉱を国際市場に出荷するための輸出港も併設された。

リオ・ティント社によれば、QMMプロジェクトが軌道に乗った時点で他地域（サンテ・ルース、マンデナ）でのチタン鉄鉱の増産計画を打ちだしており、将来的には全体で年間二二〇万トンの生産を見込んでいるという。

†失われた時を求めて――マダガスカルに未来はあるのか

二〇〇九年のラジョエリナを首班とする暫定政権誕生を経て四年後の二〇一三年一二月、マダガスカルでは大統領／議会選挙が実施された。大統領選挙の結果、二〇一四年一月に五三・五パーセントの得票率を獲得したラジャオナリマンピアニナ（Hery Rajaonarimampianina）が新大統領に就任した。同年三月にはＩＭＦがマダガスカルとの関係の正常化を宣言するなど、国際社会による信頼回復と一定の政治的安定性は保たれつつある。

ここまでみてきたように、ラヴァルマナナ政権時代に着手されたアンバトビーとＱＭＭという二つの大規模鉱山開発によって、マダガスカルが世界でも有数の豊富な資源国であることが証明された。外国資源会社は、石油、鉄鉱石、ウラニウム、金などの資源が同国に大量に埋蔵されていることに注目している。

しかしながら、資源開発が活発化することで、マダガスカルの国民の生活は果たして改善されるのであろうか。高度に専門化された最新の設備を使って建設された採掘工場、精製所、輸送のための港湾は、一日二ドル以下で暮らす地域の人々にどれほどの影響を与えることになるのだろうか。それは現地社会から隔絶した「飛び地」としての活動にすぎず、鉱業部門以外の経済に直接的な影響を与えることはない。

そして大規模施設を用い、巨額の資金を投じておこなうプロジェクトにもかかわらず、生み出される現地雇用の規模はわずかである。建設段階では三五〇〇人以上を雇っていたとされるQMMも、現在は一四〇〇人を雇用しているにすぎない。アンバトビー・プロジェクトでの直接雇用者数も、三〇〇〇人程度である。

すなわち、鉱山開発というのは、石油開発などと同様に極めて資本集約的（投下資本と比較して多くの労働者を必要としない）な特徴を有していると言えよう。このような雇用を生まない、現地経済への波及効果も少ない、大規模鉱山開発に対して、政府は投資促進のための優遇税率を設定してまで外国企業の誘致を積極化してきた。

本章で指摘してきた通り、マダガスカルでは、今次の政治的混乱につづく四年間で、経済部門のみならず、あらゆる社会システム（医療、治安、教育）が深刻な打撃を受けてきた。そして三〇万人以上と言われる多くの国民が職を失い、失業者の多くが闇経済に吸収された。

二〇一八年一一月に実施された大統領選挙では、クーデタによって政権を奪取したラジョエリナとその暴動によって失脚したラヴァルマナナが立候補するという異例の事態が生じ、翌月の決選投票では、五五・七パーセントの得票率でラジョエリナが正式に大統領に就任した。敗れたラヴァルマナナは、選挙後のビデオメッセージにて、ラジョエリナへの祝辞を送るとともに、次のようなコメントを残している（AFP, Madagascar's ex-leader Ravalomanana accepts defeat, Jan. 10, 2019）。

私はマダガスカル国民が苦しみつづけるのを目にしてきた。九二パーセントの国民が貧困の真っ只中で生きている。彼らには助けが必要だ。

政権が何度交代しようと、大多数のマダガスカル国民の生活は一向に改善されない。国民は、再び若きリーダーに一縷《いちる》の望みを託して自らの選択をおこなった。先進国が渇望する資源にあふれる国マダガスカル。この国の国民が失われた時を取りもどす日が来るのであろうか。

第 4 章

「資源の呪い」に翻弄されるアルジェリア

首都アルジェの街を見下ろす高台に建設された独立戦争殉教者記念塔（著者撮影）

1　石油の富の幻想

†産油国アルジェリア

アフリカ有数の産油国アルジェリア――世界がうらやむほどの石油資源に恵まれたこの国の歴史は、苦難に満ちている。アルジェリアは、一九世紀にフランス植民地支配下におかれ、その南部に広がるサハラ砂漠は不毛の地として、ながらく見捨てられてきた。しかし植民地からの独立前夜、石油という地中深くに眠る「黒い金」が発見されたことによって、その様相は一変する。石油の利権をめぐる七年半にもおよぶフランスとの血みどろの独立戦争、軍と政府による富の奪い合い、九〇年代のイスラーム急進派の伸長とテロの頻発、失業問題や国民の疎外……アルジェリアが対峙してきたすべての問題の根底には、常にこの炭化水素資源（石油・天然ガス）の問題が横たわっていた。

神はこの国にあり余るほどの資源を与えたが、国民に豊かさと安定がもたらされることはなかった。それればかりか、国民は這い上がることができないほどの崖の下へと突き落とされつづけてきた。アルジェリアの石油の富は幻想にすぎないのだろうか。

†二〇〇〇年代初頭の首都アルジェ

アルジェリアは（南スーダン独立以降）アフリカ大陸で最大の国土面積を有する国である。その国土面積は日本の六倍にも達する。ただし、地中海に面した沿岸地域以外、国土のほとんどが砂漠や土漠（砂礫《されき》）で覆われているため、人口四三〇〇万のうち九割近くが比較的穏やかな気候の地中海沿岸部に集中しており、地中海をのぞむ沿岸部には首都アルジェをはじめ、オランやトレムセンといった主要都市が点在する（図4－1）。

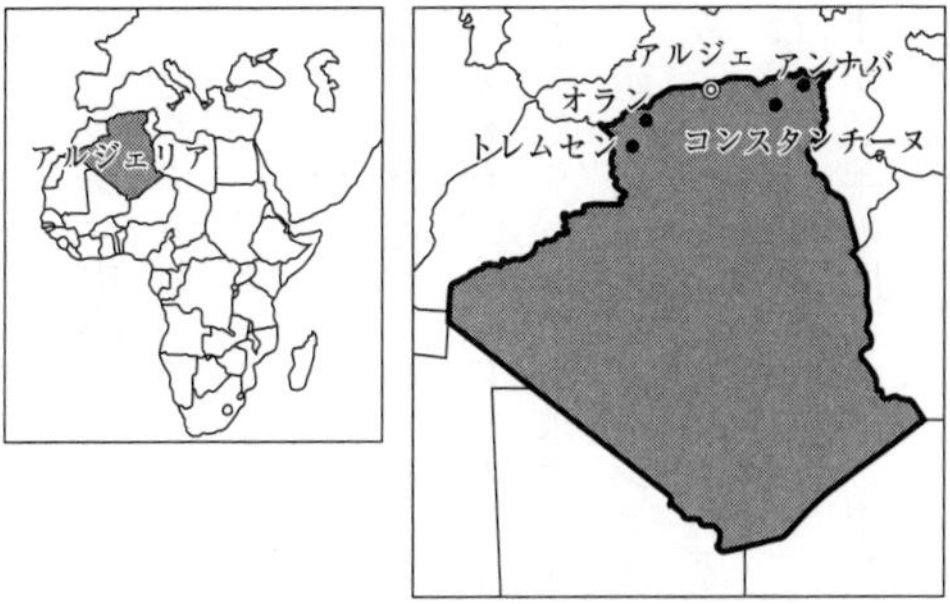

図4－1　アルジェリア地図

丘陵地帯に形成された首都アルジェは、一六世紀の地中海で制海権を握っていたバルバリア海賊たちの要塞として機能していた。フランスは一八三〇年にアルジェリアへの進出を果たし、その後一三二年もの間、この地を植民地支配下においた。その過程で、多くのフランス人が入植者としてアルジェリアにわたり、首都アルジェにはフランス風の白亜の建物が数多く建設されて、現在の街並みが完成した（図4－2）。

アルジェ中心部の目抜き通りは、常に家族連れや若者たち、そしてカフェで談笑する老人たちで賑わっている。二〇〇〇年代初頭に初めてこの国を訪れた際にアルジェの街を散策したが、テロによる犠牲者を一〇万人もだした国とはとても思えないほどの活気であった。当時のアルジェリアでは市民をターゲットにした無差別テロは落ち着きつつあったが、軍や警察施設に対するテロは依然として現地メディアで報じられていた。

それが、実際に街を歩くと、危険なイメージとは異なり、道すがら笑顔で挨拶を交わしてきたり、握手を求めてきたりする若者も少なくなかった。

産油国であるアルジェリアの経済に強い追い風が吹き始めたのは二〇〇五年頃からである。一バーレルあたりの原油価格は二〇〇二年に二〇ドル前後であったのが二〇〇五年には五六ドル前後、さらに二〇〇八年七月には一四五ドルという史上最高値をマークし、わずか数年の間に七倍以上に原油価格が上昇した。第三次オイルショックとも評される国際原油価格の高騰により、中東のみならずアルジェリアなどのアフリカ産油国にも、巨額の「不労所得」がもたらされることになった。

アルジェリアでは炭化水素資源による輸出収益が一挙に膨れ上がったことで、九〇年代末まで空っぽであった国庫に、ありあまるほどの莫大なオイルマネーが流れ込んだ。その

図４－２　アルジェの街（上）と1910年の植民地期に建設された中央郵便局（下）　出所：著者撮影

収益は、テロとの闘いで疲弊しきっていたアルジェリア政府にとって、まさに天から降り注ぐ恵みであった。

†アフリカの資源大国

しかし、アルジェリアの国民が、この「天の恵み」の恩恵を受ける日は訪れなかった。現実には、国庫にお金が貯まれば貯まるほどに、国民は、アルジェリアの政治体制が腐敗にまみれ、経済構造がいかに硬直化したままであるのかを目の当たりにすることになった。フランスからの独立以来、石油と天然ガスの輸出に一元的に依存しつづけてきたアルジェリアの国家構造は、その最深部にまで資源の富の「病」が進行している。政治権力の中枢に巣食う病巣《びょうそう》の根は、あまりにも深く、どこから手をつければよいのか、わからないほどだ。

アルジェリアの「病」に迫るまえに、ここではその経済構造を簡単に確認しておきたい。アルジェリア経済の最大の特徴は、地中から産出される原油と天然ガスである（図4－3）。その産出量はどの程度か。

世界の石油生産に占めるアフリカのシェアは八・三パーセント程度であり、アフリカ最大の産油国はナイジェリアで日量一九〇万バーレルが産出されている。次いでアンゴラの日量一七五万バーレル、アルジェリアは日量一五八万バーレルで、アフリカ第三位の位置づけとなっている。

次に天然ガスの産出量である。アルジェリアでは年間九一四億立方メートルの天然ガスが産出されており、アフリカでは最大、世界ランキングでも一〇番目の国である（石油・天然ガスの産出量はBP統計による二〇一六年の数値）。

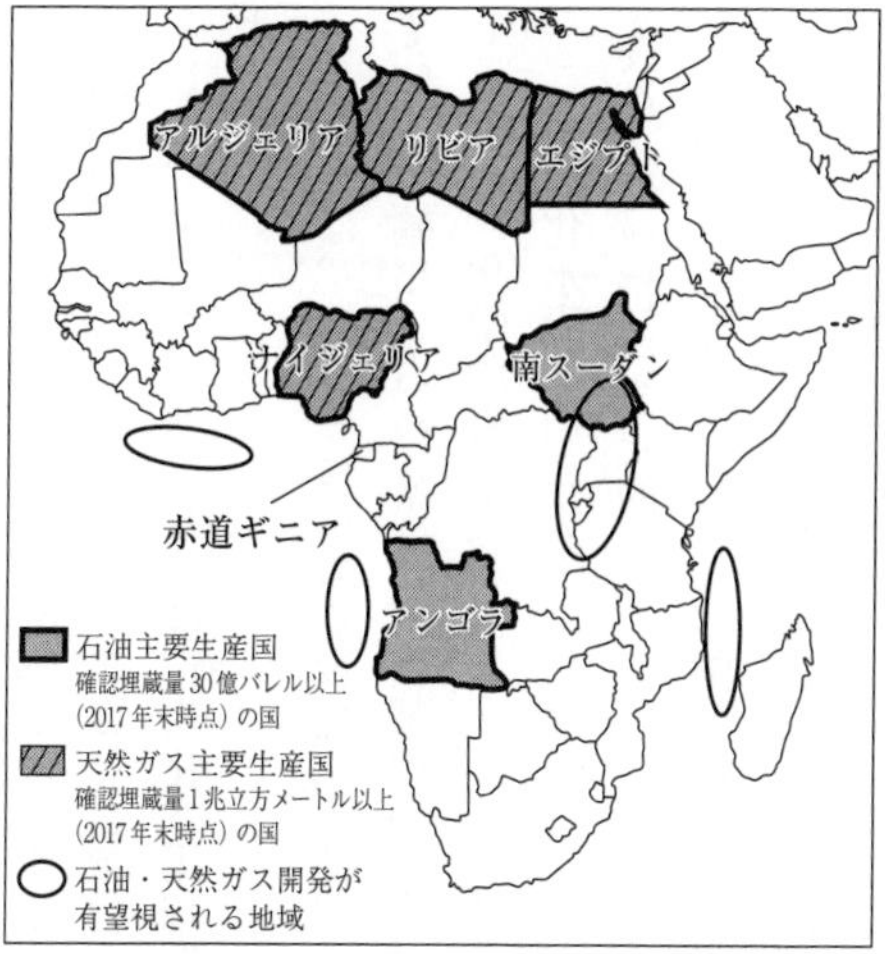

図4−3　アフリカの石油・天然ガス産出国　出所：JOGMEC, *JOGMEC News*, vol.32, 2013.3, African Energy, *African Energy Atlas*, 2018/2019 edition. をもとに作成

また、産出された天然ガスは、地中海の海底に設置された長距離ガスパイプラインを通じてヨーロッパに輸出されており、ロシアに次ぐヨーロッパへのガス供給国でもある。ヨーロッパ諸国（特にスペイン、イタリア）にとって、アルジェリア産の天然ガスは生活を支える生命線と言える。さらにアルジェリア南部には、近年注目されているシェールガスも

大量に埋蔵されていることが確認されており、将来の開発・生産が期待されている。

以上のように、アルジェリアは一言で言えば、アフリカの資源大国のひとつなのである。そして、アルジェリア経済は、炭化水素部門を中心にまわっているといっても言いすぎではない。

たとえば、GDPに占める炭化水素部門の割合は二割、政府の歳入では約四割にも達している。輸出に占める炭化水素部門の比率は九五パーセントであり、残りのわずか五パーセントが、化学肥料や食料品（デーツ）などの輸出品である（以上、二〇一七年の数値）。

この炭化水素部門に大きく依存したアルジェリアの経済構造は、社会主義型開発モデル（後述）の挫折が決定的となった一九八〇年代以降、まったく変化していない。独立から半世紀以上を経た現在でも、国産のネジ一本つくることもできないままである。

そして、炭化水素資源を輸出して稼いだ外貨で、国民が必要とするありとあらゆる商品を外国からの輸入でまかなっている。国民食であるクスクスの原料の小麦、乳製品といった食料品から、衣類、自動車、重機、設備財（鉄鋼、機械）、工業製品、電子機器、医療品など、輸入品目は多岐におよぶ。輸入相手国は、対岸に位置するフランスやスペインなどのヨーロッパ諸国が上位を占めているが、二〇一三年には中国からの輸入が首位となっている。

†「ヒッティスト」の苦悩

アルジェリアのような炭化水素資源の輸出による外部収益に依存する国は「レンティア国家」と呼ばれている。一見すると偶然にその地域に埋蔵されている石油を輸出するだけで「不労所得」を得ている恵まれた国というイメージを抱きがちだが、一般国民の生活は決して楽ではない。

地中海に照りつける太陽の日差しのもとで屈託のない笑顔をみせてくれたアルジェリアの若者たちの実態は、定職に就くことができず、一日中ストリートにたむろするしかない「ヒッティスト」である。

「ヒッティスト」とは、アラビア語アルジェリア方言の「壁」(ヒート)にフランス語の「~の者」(イスト)という接尾語をつけた造語であり、壁にもたれかかって仕事をしていない者、すなわち失業者のことを揶揄《やゆ》した言葉である。

フランスの政治学者でイスラーム研究を専門とするジル・ケペルは、アルジェリア社会について次のように皮肉を込めて指摘する(Kepel, 2001)。

社会主義体制を標榜していたアルジェリアでは、建前上、すべての人間に仕事が与えられるとされた。だが若者たちに与えられた「仕事」は、一日中、壁に背をもたれさせること――それは、あたかも壁の崩壊をふせぐ仕事をしているかのように――であった。

国にどれほど石油が産出されようが、マクロ経済指標がいかほど好転しようが、アルジェリアの深刻な失業問題は解消されなかった。二〇一七年のアルジェリアの公式統計によれば、働き盛りの若者（一六～二四歳）の失業率は二九・七パーセントにも達しており、そのうち六割以上が一年以上にわたって仕事につくことができない長期の失業者であった。彼らの心の奥底には、この国への深い失望が渦巻いている。アルジェリアの失業者の憤りの言葉を引いてみたい（Martinez, 2010）。

祖国アルジェリアで生みだされる石油の富は、どこに消えてしまっているのか。それは、誰かが独占する個人資産のように思える。すべてのアルジェリア人民が石油から生み出される富の恩恵を享受する権利をもっているはずだ。石油による富がアルジェリアの共有財産であるならば、それがどのように使われているか、我々には知る権利がある。石油で一〇〇億ドルの利益を生んだのならば、政府はそれがどのようにして支出されたのか説明する義務があるはずだ。

政府は、二〇〇〇年代初頭には三〇パーセント（若年層は五四パーセント）の危機的水準にまで高まっていた失業率が、近年のオイル・ブームの後押しを受けて一二パーセント台にまで低下したと強調する。だが、その実態は、ばらまき型の公共投資により大量の期間契約労働者が生まれて一時的に低下しただけであった。

また公式統計ではカウントされないインフォーマル部門で働く若年労働者の増加も常に指摘されている。彼らはフランスのマルセイユ港などを経由してアジアや中東製の商品を密輸するか、農産物の路上販売などをおこなって日銭を稼いでいる。

なにより人口が増加しつづけるこの国では、毎年一五〇万人以上もの若者が労働市場に放出されつづけている。これらの大量の若年労働者に対して、国家は十分な受け皿を準備することができないまま、国内格差は拡大し、社会不安が危機的水準にまで高まっている。

†石油富裕国の貧困

二〇一五年、アルジェリアのNGOのひとつであるアルジェリア人権擁護連盟（LADDH）が、アフリカ有数の産油国としては驚くべき数値を発表した。同連盟が全国四五〇〇世帯を対象に経済状況の調査を実施したところ、人口の三三パーセントに相当する一四〇〇万人もの人々が国際貧困ライン以下で生活しているというのである。とりわけ石油価格が下落した二〇〇九年以降、人々の生活水準は目に見えて悪化し、都市部アルジェでは、ゴミをあさる女性の写真が掲載されるほど、国内の格差拡大が深刻化しているという。そして、そのように多くの人々が苦しんでいる一方で、人口の一割の人々がアルジェリアの富の八割を所有しているというのだ（Algérie Focus, 16 octobre 2015）。

このように豊富な石油・天然ガス資源を有しながらも（特に資源価格の高騰時、マクロ経済指標自体は良好なパフォーマンスを維持しているように見える）、実際には国内に深刻な失業問題や貧困を抱えているという逆説的状況は、「豊饒《ほうじょう》のパラドックス」とも呼ばれる。

†「資源の呪い」

アルジェリアのように工業部門（繊維産業や製造業など）の産業構造の多角化が進まないまま炭化水素資源収益に一元的に依存し、その収益を再分配することで成立している国家のことを、先ほども述べたように「レンティア国家」と呼ぶ。「レント」とは、「外で生じた収入」、すなわち国内の経済活動とはほとんど関係のない、国外で発生した収入を意味している（松尾二〇一〇）。

このようなレント収益に依存する国家としては、湾岸産油国が思い浮かぶかもしれない。石油輸出や天然ガスで潤う湾岸諸国のなかで、石油や天然ガスの埋蔵量が多いアラブ首長国連邦のアブダビやカタールは、一人あたりのGDP額が世界トップクラスを誇っている。

しかし、このような湾岸産油国とアルジェリアが決定的に異なる点のひとつは、人口規模である。アラブ首長国連邦の自国民人口は八三万人程度であるが、アルジェリアの人口は四三〇〇万人を超えている。いくら豊富な資源を有していようと、四三〇〇万人を超える国民に平等に再分配することは不可能である。むしろ、国庫に蓄積されていく「天の恵み」は、いかにその恩恵に浴するか、その分配をめぐる権力闘争へと発展してしまう。

アルジェリアでは、独立闘争を勝利へと導いたFLN指導部と軍幹部が中核となって、官僚、国営企業エリート、退役軍人（ムジャヒディン）などが一体となった富の受益者集団が形成されてきた。このような富の受益者集団は経済的な富と政治的権力を独占していることから「特権的カースト集団」とも呼ばれる（私市二〇一七）。政治構造は動脈硬化の病に侵され、豊富な資源は神からの「祝福」ではなく、「呪い」として国家を蝕《むしば》みつづけているのである（この権力構造の仕組みについては、後ほど説明をしていきたい）。

資源国経済の理論的な話に戻そう。一九九〇年代に盛んに議論された実証研究により、資源が豊富に存在する国であればあるほど、その国の経済パフォーマンスは停滞し、貧困状態が改善されないことが証明されている。逆に資源に乏しい国のほうが、安定的で着実な経済成長を実現しているというのだ。

このような議論は「資源の呪い」仮説として多くの研究で指摘されてきた。代表的な例を挙げれば、サックスとワーナーが、GDPに占める資源輸出額の比率が高い（つまり国家が資源に依存している傾向が高い）九七カ国（一九七〇年時点）を抽出し、一九七〇～八九年の間の経済成長率を調査した結果、天然資源への依存度が高ければ高いほど、一人あたりの経済成長率が低くなることを明らかにした（Sachs&Warner, 1995）。

またオーティは、一九六〇年から九〇年までの一人あたりGDPの成長率を比較検討した結果、資源希少国が、資源富裕国の二～三倍もの成長率を記録していることを明らかにした。さらにこの経済成長率の乖離《かいり》は、オイルショック後の一九七〇年代のほうが大きいことも確認されている。オイルショックが生じた一九七〇年代以降に、資源の豊かな国の成長率が低下に転じていくのに対して、資源の乏しい国は上昇に転じており、八〇年代後半に逆転しているというのだ（Auty, 2001）。

†「オランダ病」

それでは、なぜアルジェリアのような資源富裕国では、経済成長が停滞し、経済構造の多角化が進まないのか。資源富裕国が陥る問題に対しては、一般に「オランダ病」（Dutch disease）というメカニズムが指摘されている。

「オランダ病」という名称は、一九五〇年代末にオランダの北海で天然ガス田が開発されたことに由来している。オランダでは、国内のエネルギー生産量が増大したことで国際収支が大幅に改善されたが、天然ガス輸出の急増と資源部門の肥大化により、製造業の国際競争力が低下し、衰退を招いた。「オランダ病」とは、そのように石油や天然ガスなどの資源部門が急成長することで、製造部門と農業部門の後退を招く現象のことである。

「オランダ病」は、以下の二つの「効果」から引き起こされると考えられている。一つは国内の生産要素が、工業部門及び非貿易財部門からブーム財部門に移動する「資源移動効果」である。資源移動効果とは、資源部門が急成長することで、資源部門に農業や製造部門などの労働力と資本を引き寄せるため、労働力と資本が取られた農業部門と製造部門で生産コストの上昇を招く現象を示している。

もう一つは、非貿易財の高コスト化である。ここでは、石油や天然ガスなどの貿易財に対して、輸入できない財やサービス（建設、電力、教育等）といった非貿易財との関係が重要である。貿易財である資源部門が急成長すると、外部から国内に巨額の収益がもたらされる。このこと自体は、国内の建設事業や電力などの非貿易財の需要を増加させることにつながるわけだが、問題は需要が増大することで、建設費や電力料金、不動産価格などの国内価格が上昇してしまうことだ。この国内の生産コストの上昇により割高となった非貿易財への効果を「所得効果」と呼んでいる。

そしてこの二つの効果の結果、資源輸出の増大によって自国通貨の価値が上昇（実質為替レートの切り上げ）し、（本来は競争力を強化すべき貿易財である）農業や製造業はますます競争力が低下していく。これが輸入促進を招いて、国家にとって重要な産業、たとえば製造業といった長期的にはその国の経済発展にとって鍵となる部門のクラウドアウト（締め出し効果）を招いてしまう。このようにして、資源部門以外の産業が壊滅し、局部的に肥大化した資源部門を中核とする「いびつな」経済構造が形成されてしまうのだ。

†油価の変動にさらされる経済

アルジェリア経済がたどってきた道のりも、まさにこのメカニズムが当てはまる。独立以後、国家建設の中核に据えられた炭化水素部門は拡大の一途をたどり、GDPに占めるその比率は、一九八〇年代の二割から二〇〇一年には四割、二〇〇七年では約五割にまで肥大化した。総輸出に占める比率も、一九六五年に五割であったのが、一九八〇年にはほぼ全量（九八・二パーセント）にまで高まっていた（図4－4）。

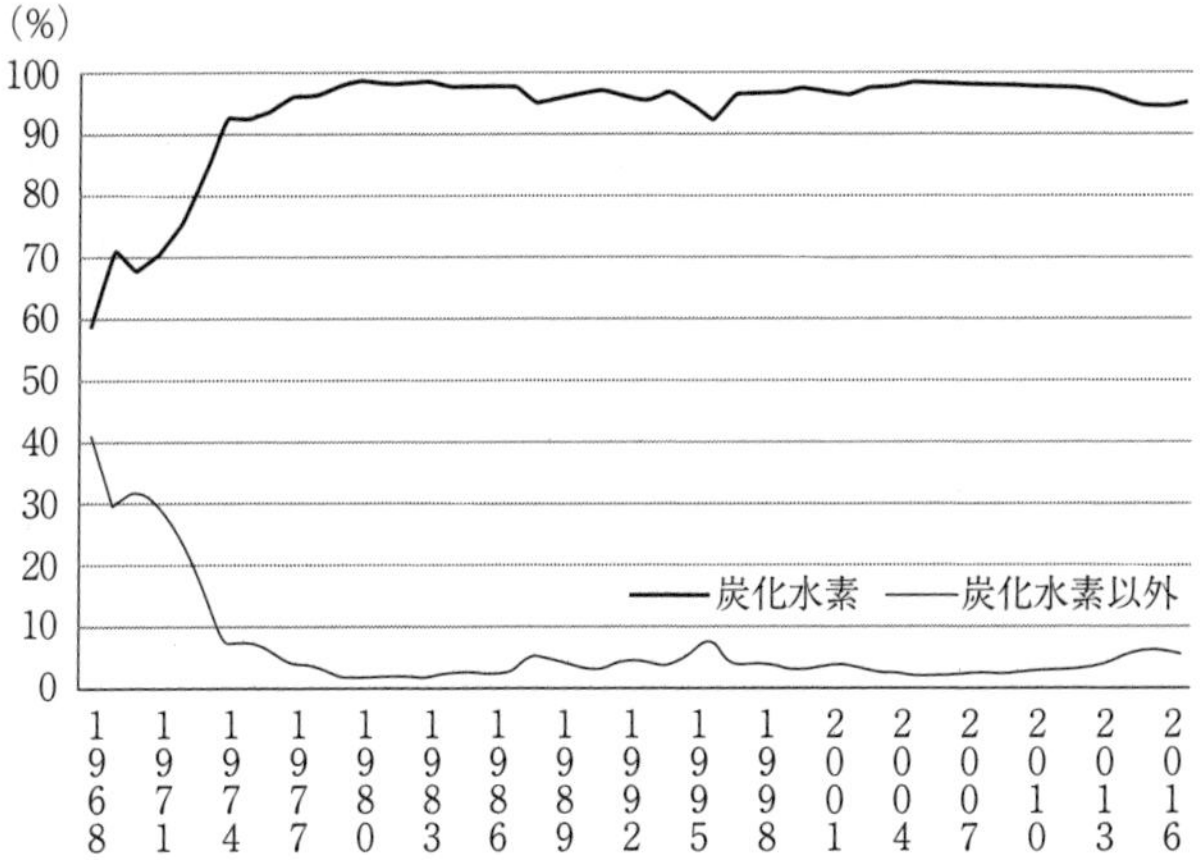

図4-4　アルジェリアの炭化水素資源とそれ以外の輸出比率　出所：World Bank, World Development Indicators Database より作成

その一方で、それ以外の産業は衰退の一途をたどる。一九七〇年代にはGDP比二〇パーセントに達していた工業部門は、二〇〇七年にわずか五パーセントとなり、また農業部門は八パーセントにまで低下した。

独立後に創設された炭化水素部門の開発を一手に担う国営公社ソナトラックは、アフリカ最大の売上規模を誇るエネルギー関連企業へと成長した。ソナトラックは、アルジェリアだけでなく、マリ、モーリタニア、リビア、イタリア、スペイン、ペルーなど国外もあわせて一五四社の関連会社を経営する、売上高世界第一一位、従業員数一二万人を擁する巨大な国営公社となったのだ。

ただし、四三〇〇万人の人口を抱え、毎

年一五〇万人以上の新規の労働者が市場に放出されつづけているアルジェリアにとって、一二万人という従業員数は限定的だ。そもそも石油・天然ガスなどの資源産業は、資本・技術集約性が高いという性格をもっており、資源開発には大量の資本と大規模な設備を必要とするが、その規模と比較して雇用される労働者は極めて少ない。いくら炭化水素部門の経済的比重が増したとしても、雇用創出効果による国内の労働市場へのインパクトは微々たるものなのである。

加えて、資源開発に必要な設備や資材は、その多くが先進諸国で生産され輸入されたものであって、国内の製造業に影響をあたえることはない。砂漠のなかに突如として近代的な工場群が乱立する「飛び地」（周囲に関連の会社がなく国内産業連関効果がない）が形成されるのもそのためである。

さらに問題であるのは、石油や天然ガスのような天然資源は、国際価格の変動リスクに常に晒《さら》されているということである。原油価格が高騰するか否かは、世界の石油に対する需要や、産油国の地政学リスク、原油先物市場への投機的な資金の流入状況などに影響され、常に不安定であり、それゆえに石油輸出収益に基づく政府歳入も石油価格の変動に大きく左右されることになる。

アルジェリアの政治プロセスは、常にこの油価の変動に揺さぶられつづけてきたといっても過言ではない。油価が高騰した一九七〇年代は社会主義経済モデルを志向しながら国営企業に大量の資本を投入する積極財政を実施した後、一九八〇年代から九〇年代にかけては、財政支出の引き締め政策から市場自由化による外国投資誘致へと振れた。そして、油価が再び高騰していった二〇〇〇年代は、公共投資を中心としたポピュリズム（大衆迎合主義）型放漫財政へと傾いていった。後述するようにブーテフリカ大統領が長期政権を維持しつづけることができたのも、巨額な石油収益に支えられたばらまき型の政治姿勢によって大衆の支持を集めることができたからである。

原油価格の高騰により国庫には一五〇〇億ドル（二〇一〇年）もの外貨が積みあがっていくなかで、なぜアルジェリアの社会経済構造はいびつなままであるのか。石油・天然ガスという「天の恵み」が与えられた豊饒の大地であるにもかかわらず、なぜ自国民同士が殺し合うテロの時代へと突入してしまったのか。そして、その結果、なぜ国民は国家に見放されて絶望に打ちひしがれたまま、石油の富の幻想のなかで生きなければならないのか。

その答えのひとつは、アルジェリアという国の独立以降の「国民国家」形成に向けたプロセスにある。以下では、一九七〇年代に「第三世界の輝ける星」とまで評されたアルジェリアの、栄光と挫折の歴史を振り返ってみたい。

2 アルジェリア資源開発史

†アルジェリア独立戦争

アルジェリアで本格的な石油・天然ガスの探査活動がはじまったのは、独立戦争（一九五四〜六二年）中の一九五六年のことである。

当初、フランス資本の石油会社（CFP、後のトタル社）によって、アルジェリア南部の大砂漠地帯で探査が開始された。首都アルジェからは六〇〇キロメートル以上離れ、年間の平均気温が四〇度を超す灼熱の地域である。このサハラ奥深くにあるハシメサウドで、アルジェリアの石油生産の中核を担う超巨大油田が発見された。どのぐらい巨大かというと、原油生産開始から六〇年以上を経た今でも、アルジェリア全体の原油埋蔵量の約三分の一（三九億バーレル）がハシメサウドに集中していると推計されているほどである。

同時に、サハラ中央部に位置するハシルメルにおいて巨大な天然ガス田が発見された。このハシルメルのガス田では、現在でもアルジェリアにおける天然ガスの半分以上の埋蔵量が確認されており、天然ガスの生産に関しても五分の三を占めている（二〇一七年時点の原油の確認埋蔵量は一二二億バーレル、天然ガスは四兆三〇〇〇億立方メートル）（BP, 2019）。

ところでこのサハラ砂漠での炭化水素資源発見の二年ほど前の一九五四年一一月一日、わずか九人のアルジェリア青年によって組織された革命集団「民族解放戦線」（FLN）が、宗主国フランスからの独立を掲げて各地でテロの実行と武装蜂起を呼びかけた。これにより、一九六二年七月五日にアルジェリア民主人民共和国として独立を獲得するまでに一〇〇万人以上もの犠牲者をだすことになった、七年半にもおよぶフランスとの熾烈《しれつ》な武装闘争の火蓋が切られた。

なぜ、これほどまでに両国の間で激しい武力衝突が起こったのか。

第一に、アルジェリアがフランスの直轄地であったことが挙げられる。アルジェリアは、地理的に近い位置にありながら、保護領として内政の自治権が認められていたチュニジアやモロッコ（一九五六年三月に独立）とは、本質的に異なる存在であったのだ。

当時のフランスで内務大臣であったフランソワ・ミッテランが「アルジェリア、それはフランス」と発言したように、一三二年もの長きにわたる植民地支配の歴史において、アルジェリアには、一〇〇万人もの「ピエ・ノワール」（フランス語で黒い足の意）と呼ばれるフランス人が世代を超えて入植し、植民地政策の奥深くまで直接支配権を行使していた。フランスにとってアルジェリアは本土の一部であり、アルジェリアの独立運動は「フランス領の地中海を挟む「南側」が分離の権利を主張した」と捉えられていたのである（ストラ二〇一二）。

だが、もうひとつの、そして最も重要な理由は、本節の冒頭でも述べた、独立戦争中の一九五六年六月に発見された、サハラ砂漠に眠る巨大な炭化水素資源の存在である。すでにフランスは植民地支配を通じて、地中海沿岸地帯の温暖な気候を利用したワインの原料となる葡萄《ぶどう》の生産拠点をこの地に築いており、産油国に転化する以前、一九六〇年代まで葡萄、柑橘類、野菜、小麦などの農業輸出額は、アルジェリアの輸出総額の六〇パーセントを占めていた。だが炭化水素資源の発見により、アルジェリアは、一次産品（葡萄）の重要な供給地であるばかりでなく、莫大なエネルギー資源が眠る地となった。これによりフランス政府にとって死守すべき戦略的資源となり、その掌握は必須となったのである。

†「国家のなかの国家」ソナトラックの誕生と重工業化の時代

七年半にもわたるアルジェリア独立戦争では、フランス軍は一七〇万人を派兵し、徹底抗戦したアルジェリア側では一〇〇万人以上もの戦死者をだした。まさに泥沼化した戦争と言える戦いだった。

戦争が長期化した最大の理由は、最後までフランスがサハラの炭化水素資源の掌握にこだわっていたためである。独立直前の一九六二年三月に調印された停戦協定（エビアン協定）においても、フランスのド・ゴール大統領はアルジェリア南部のサハラ砂漠を切り離してでもその領土を保持しようとし、サハラ砂漠の石油の開発権益に関しては一定の留保条件が付与され、フランスの利権維持が盛り込まれていた。

　独立後も経済的従属を維持しようとするフランスの意向に対して、強烈な「否《ノン》」を突きつけたのが、フワーリ・ブーメディエン大統領である（図4-5）。独立後に国防相であったブーメディエンは、初代大統領に就任したベン・ベラをクーデタによって追放し、一九六五年に政権の座を奪取した。そして、フランス資本によって独占されていた地下資源の全面国有化措置を断行したのである。

図4-5　ブーメディエン大統領

　ブーメディエン大統領は、一九六六年に炭化水素開発を全面的に担う国営会社ソナトラックを設立して、七一年にはフランス系石油会社の全面国有化を宣言する。

　そして、一九七三年にはじまったオイルショックにより国際石油価格が急上昇すると、産油国アルジェリアには巨額のオイルマネーが流れ込むことになった。当時、高い指導力とカリスマ性を発揮していたブーメディエン大統領は、国際石油価格の高騰による「棚ぼた利益」を利用して、一九八〇年を離陸年度とする壮大な重工業化政策に取り組んだ。この政策は、炭化水素資源（石油・天然ガス）の輸出収益を梃子《てこ》にした社会主義的な計画経済政策を特徴としており、「工業化誘発産業」モデルと名づけられた。

「工業化誘発産業」とは、製鉄から機械製造、金属、石油化学公団に至るまで、あらゆる基幹産業部門に国営企業を設立して、一挙に工業化を成し遂げようとするものであった。当時アルジェリア政府は、アジア諸国が着手していたような輸入代替による軽工業化を推進しても先進工業国に追いつくことはできず、いつまでも国際的な従属状態から脱却できない、と考えていた。

そして、先進諸国との経済的な従属関係を断ち切って自立的経済圏を構築するために、国際競争力をもちうる装置産業（鉄鋼業、石油化学産業、セメント産業などの巨大な装置を必要とする産業）に重点をおき、その開発が生みだす波及効果によって他の工業部門を発展させようとする方針をとったのだ。

このブーメディエン大統領が掲げた社会主義型開発モデルの野心的な実験は、当時の第三世界諸国から大きな賞賛を浴びることとなった。ブーメディエン大統領が、一九七四年四月の国連総会の基調演説において、第三世界の国際的な連帯と資源ナショナリズムに根ざした新国際経済秩序を呼びかけるなど、当時アルジェリアは第三世界諸国の輝ける星として注目を浴びたのである。

一九七〇年代のアルジェリアでは、七〇を超える巨大な国営企業が林立し、さながら国全体が工事現場になったかのようだった。一方で、当時の先端技術をいかに導入していくかに熱中していた政府は、そうした技術がアルジェリア社会で消化可能なのかどうかということには注目していなかった（勝俣一九九一）。

すなわち、プラントの設計から建設に関わるすべての工程を外国企業に発注し、技術者の養成は後回しにしたのだ。国営工場の建設現場では、外資がすべてを請け負う「ターンキー」契約が採用された。あたかも自動車の納品のように、工場は完成後に引き渡され、キーを回せばすぐ稼働するという契約だ。これに必要なのは、技術ではなく、石油で稼ぎだされた「棚ぼた利益」だけであった。

†重工業化の挫折と一九八八年一〇月暴動

一九七〇年代の社会主義型開発モデルは、石油価格が下落した一九八〇年代後半になると、徹底的な経済的非効率性のみを残しながら挫折した。アルジェリアは必要とする中間財・資本財のすべてを輸入に頼っていたため、原油価格が下落すると、財政状況が急激に悪化したのだ。資本財輸入を賄うためには、輸出収益だけでは不十分であり、政府は地下資源を担保にして国際金融機関からの借款《しゃっかん》を開始した。

輸出収益と借款によって引き続き重工業化政策が進められたが、国営企業のほとんどが経営不振に陥り、新設されたばかりの工場の稼働率は三割を切るまで落ち込み、事態は一向に改善されなかった。そうして短期・長期債務が増大しつづけていったのである（福田二〇〇六）。

膨らみつづける累積債務と大幅な財政赤字に直面したアルジェリア政府は、緊急輸入制限と補助金支出の削除によって、財政危機を乗り切ろうとした。政府は、パン、バター、牛乳、石鹼などの生活必需品に補助金を支出することで、国内小売価格を安値に抑えてきたが、この補助金がカットされたことで、生活必需品の価格が一挙に値上がりしてしまった。加えて、緊急輸入制限の発動により、輸入小麦を原料とするクスクスやパンなどの基礎食料品は街中から消えた。

一九八八年一〇月、ついに政府の失策に対するアルジェリア国民の怒りと不満はピークに達した。貧窮化した民衆が全国の主要都市で暴動を起こし、政府建物や公用車、商業施設などを放火・破壊したのである。首都アルジェの高級ショッピングセンターも襲撃され、近くで掲揚されていたアルジェリア国旗がおろされ、代わりに空になったクスクスの袋が掲げられた。「クスクス暴動」と呼ばれるこの暴動では、軍と警察による徹底的な鎮圧がおこなわれ、死者は五〇〇人以上、逮捕者は四〇〇〇人以上にのぼった。

その後、軍と警察の力で民衆の不満を一時的に抑え込むことができたものの、経済状況は一向に好転しなかった。一九九〇年時点での債務残高は二八六億ドル、この額はアルジェリアの総輸出額の二倍以上（二二七パーセント）に相当し、毎年の債務返済には年間の総輸出額の八割（九〇億ドル）があてられた。いくら石油を輸出して外貨を稼いでも、そのほとんどが返済にまわされるということだ。

一九九四年にはついに増えすぎた借金の返済をめぐって、二度の債務繰り延べ（リスケジュール）を実施するにいたった。デフォルト（債務不履行）の一歩手前の状態である。

その結果、ＩＭＦ・世界銀行は、財政政策や経済構造の抜本的な改革を勧告し、政府は、財政赤字の削減に向けた国営企業の民営化、規制緩和による市場経済の導入などを柱とする「構造調整プログラム」を受け入れるにいたった。

†危機の一〇年――なぜテロリストの温床となったのか

これまで述べてきたように、八〇年代末の「クスクス暴動」から一九九〇年代にかけてのアルジェリアは、深刻な経済危機に見舞われた時期であった。だが、アルジェリアの危機は、経済情勢だけにとどまらなかった。

過激なイスラーム武装集団によるテロが多発し、毎年一万人以上もの犠牲者がでるという、「内戦」に陥ってしまったのである。治安は日に日に悪くなっていく。国内の社会・経済インフラも壊滅的な打撃を受け、日本企業をはじめとした多くの外国企業が撤退し、アルジェリアは国際社会からも孤立していった。

経済的な危機が深刻化していくなかで、国内テロも頻発していく。まさにアルジェリアの九〇年代は「危機の一〇年」と呼ばれる時代となった。

なぜアルジェリアはテロリストの温床となってしまったのか。過激なイスラーム武装集団がアルジェリアで生まれてしまった背景を探るには、再び一九八八年の「クスクス暴動」前後の政治動向をみていく必要がある。

植民地独立以来、一党独裁をつづけてきたFLNは、暴動にまで発展した国民の不満を緩和するために、翌年一九八九年に憲法改正を実施した。新たに発布された憲法では、政治結社の自由の保障と軍の政治活動への介入を制限する規定が盛り込まれたのである。

ＦＬＮは、たとえ政党の創設を認可し、複数政党制を導入したとしても、ＦＬＮの絶対的な優位性は揺るがないと確信していた。むしろ、お互いに競合しあう野党対抗勢力を分立・対立させることで、ＦＬＮ体制は存続しつづけると考えていた。しかしながら、ＦＬＮの「読み」は完全に的外れであった。

憲法改正の数カ月後、小規模の穏健イスラーム政党「イスラーム救済戦線」（ＦＩＳ）が結成された。ＦＩＳは、独立後にＦＬＮが築いてきた不透明で汚職にまみれた政治体制を一新させ、フランス植民地支配によって破壊されたイスラームの政治文化と社会の復興を民衆に全面的にアピールした。

一九九〇年六月、憲法改正を経たアルジェリア初の複数政党制による地方議会選挙では四〇もの新たな政党の候補者が立候補を表明していたが、民衆の心をつかんだのは、イスラーム政党のＦＩＳであった。選挙の結果、全国の半分以上の市町村議会でＦＩＳ系議員が多数派を占めたのである。

さらに翌九一年一二月に実施された国政選挙（これもアルジェリア初の複数政党制の国政選挙）でも、ＦＩＳが国民の熱烈な支持を受けて圧倒的な議席（一八八議席）を獲得した。ＦＩＳが支持された背景には、貧しい人々への救済事業（無料奉仕）、機関紙（一二万部）

発行などの広報活動、全国一万二〇〇〇ものモスクやイスラーム説教師のネットワークの利用など、国民の支持を幅広く集めるための活動に注力したこともあっただろう（私市二〇〇九）。

一方、一党独裁体制を維持してきたＦＬＮの議席数は、わずか一六議席にとどまった。都市部貧困青年層（およびＦＬＮ体制に嫌気がさしていた一部中間層）は、民衆を裏切りつづけてきたＦＬＮではなく、国家を救う救世主的な存在としてＦＩＳに希望を託したのである。

これに対して軍はすぐさま当時のシャドリ大統領を追放して国家非常事態宣言を発動、国政選挙の無効化とＦＩＳの解散命令をだし、非合法化されたＦＩＳの構成員一万二〇〇〇人余りがサハラのキャンプに収容された。

だが、軍による一方的な解散命令と非合法化により完全に政治プロセスから排除されてしまったＦＩＳの構成員は強烈に反発し、そのなかから、武力をもって現体制を打倒し、シャリーア（イスラーム法）による統治とカリフ制の復活を目指すジハード組織、イスラーム武装集団（ＧＩＡ）が誕生する。ＧＩＡの構成員には、アフガニスタン戦争に義勇兵（ムジャヒディン）として参加して、爆弾製法やゲリラ戦法を身につけて帰国したものの、アルジェリア社会に適応できなかった帰還兵が多数いたと言われている（渡辺二〇〇二）。

†アルジェリアの悪夢

一九九〇年代のアルジェリアは、このＧＩＡを中心とするイスラーム原理主義勢力によるテロが頻発し、無差別殺戮が繰り返された。まさに民衆を恐怖のどん底に陥しいれた悪夢の時代が到来したのである。

どれほどのテロがこの国で発生したのか。米国メリーランド大学が作成するグローバルテロリズム・データベース（ＧＴＤ）からアルジェリアで起きてきたテロ発生件数を確認してみたい。

アルジェリアでのテロは、ＦＩＳが非合法化された直後の一九九二年に一挙に二〇〇件を超え、一九九七年には三五〇件のピークに達した（図４－６）。テロのターゲットは、最初は政治家や軍人、警官などであったが、やがて知識人・文化人、外国人も攻撃対象となっていった。九〇年代半ばになると、一般市民を巻き込んだ無差別テロも頻発するようになる。人口密集地帯での自爆テロ、偽検問、公開処刑、そして村落を襲撃する大量殺戮も全国でおこなわれるようになった。

たとえば一九九七年は、八月にライス村で二五六人、九月のベンタルハで二〇〇人以上、一二月末にはレリザンヌの四つの村で四〇〇人以上もの女性や子供も含めた市民が一晩で

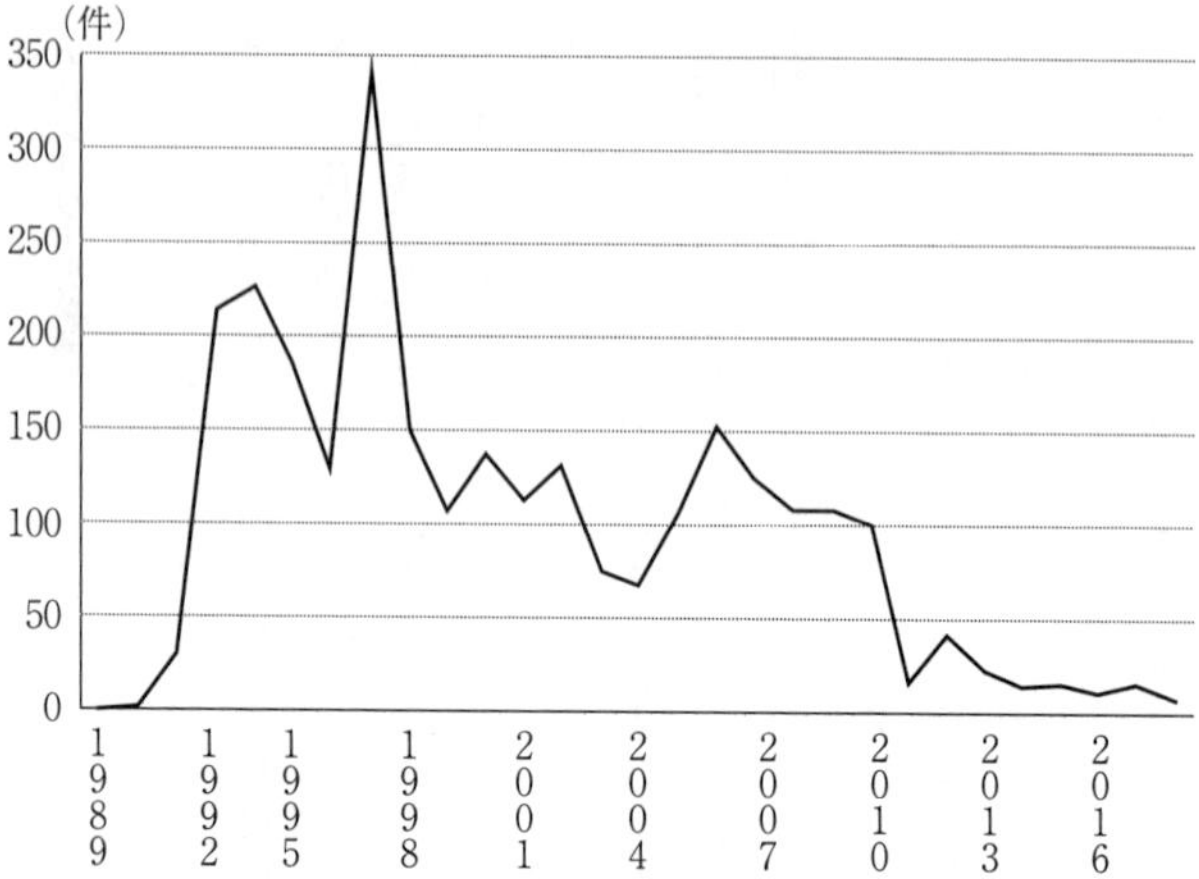

図4-6　アルジェリアにおけるテロ発生件数　出所：Global Terrorism Database（GTD）より作成。1993年はデータなし

虐殺された（これらの大量殺戮テロは、ＧＩＡに対する徹底的な殲滅作戦を展開する軍が、イスラーム急進派が主張する思想がいかに暴力的であるかを知らしめ、ＧＩＡに対する民衆の支持を失わせるために画策したものだとも噂された）。

その現場にはしばしば「我々と行動を共にしないものは我々の敵、国民に対するジハード布告」といった書き置きが残されるようになった（渡辺二〇〇二）。まさにアルジェリアは、自国民同士が殺し合う、「内戦」へと突入していったのである。

自国民を敵とみなし、大衆の支持を完全に失ったＧＩＡは、無差別殺戮という自己破壊的なテロリズムに向かっていった。そして、アルジェリア軍の掃討作戦によって追い込まれると、内部分裂が生じ、一九九八年に同組織の元司令官によって分派組織（GSPC、二〇〇七年にAQIMに改称）が組織される。この点については第2章で叙述した通りであるが、現在でもAQIMの残派がサヘル一帯に潜伏しており、依然として不安定な状況がつづいている。

†テロ実行犯の実像

二〇〇〇年代にはいると、九〇年代のような集落が襲われて一晩で数百人を虐殺するようなテロはなくなり、徐々にではあったが治安回復への兆しが見えはじめた。それでも、二〇一〇年までは、テロの発生件数は年間一〇〇件を超えており、政府や軍関連施設をねらったテロ攻撃に関しては、散発的に発生しつづけていた。

当時の現地報道では、イスラーム急進派にリクルートされ、自爆テロを実行する若者たちのことがたびたび報じられていた。

たとえば、現地新聞のエル・ワタン紙が報道した記事をまとめると次のようになる（El Watan, 10 septembre 2007）。

二〇〇七年九月八日明け方、カビリー地方で軍の兵営宿舎に大量の爆薬を積んだトラックが突入して自爆、三〇人以上が死亡し、四七人以上の負傷者をだすテロが実行された。テロ実行後、GSPCが声明を発表し、実行犯の青年を讃えている。

この凄惨なテロの実行犯であったのはナビルという一五歳の青年であった。青年の家族の証言によれば、「二歳年下の兄弟と、いつもサッカーで遊んでいるごく普通の、穏やかで模範的な少年であった」という。ナビルは、政治の話はおろか、政府や政党について友人と議論することもなかった。高校にあがると、クーバにあるモスクに通う姿も見かけられたが、学校を欠席することもなかった。だが自爆テロ決行の前夜、ナビルは母親に携帯電話で着信を残した後、突如、姿を消してしまった。約八〇〇キロの爆発物を積んで、寝静まった軍の宿舎に突入したのである。

この青年が実行したような自爆テロは、アルジェリアでは例外的な事件ではない。熱心なイスラーム教徒ではなかった青年も、いつのまにか自爆テロに駆りだされてしまったこともあったようだ。

一九九二年から二〇一〇年頃までつづいたこのようなテロの惨劇は、多くの犠牲者をだした。テロによる犠牲者数は一〇万人以上と言われ、国内避難民の数は一〇〇万人以上にも達した。

何よりも悲劇であったのは、当時誰も予想しえない事態であったとはいえ、後に過激なイスラーム武装集団を生みだしてしまったＦＩＳというイスラーム政党を、多くの国民が支持してしまったことである。そして「もう九〇年代の悪夢のような時代には戻りたくない」という深い傷を、アルジェリアの民衆の心に残したのである。

3 「プーヴォワール」に支配された国

†ブーテフリカ大統領への期待から失望へ

アルジェリアの民衆がテロとの戦いに疲れ果てていた九〇年代末、アルジェリアに新たな風が吹き始める。

テロの恐怖のないアルジェリアの再建――アルジェリア国民のこのような期待を一身に背負ったひとりの政治家が登場した。フランスとの独立戦争で民族解放軍に参加し、一九七〇年代のブーメディエン政権下では外相をつとめた人物、アブデルアジズ・ブーテフリカである（図4－7）。

ブーテフリカ大統領は、収監されているテロリストに一定の恩赦をうながす「市民和解

図4－7　ブーテフリカ大統領　提供：アフロ

法」（一九九九年）、さらに投降したテロリストへの恩赦（ただし、虐殺やレイプ、爆破テロなどを実施した者を除く）を定めた「平和と国民和解のための憲章」（二〇〇五年）を国民投票により採択した。テロ実行犯を社会に復帰させることに対しては国民の不安の声も少なくなかったものの、この恩赦法によって多数のイスラーム急進派の構成員が投降した。恩赦法の制定と軍による徹底的な掃討作戦が奏功したこともあり、ブーテフリカ大統領は、テロの封じ込めと鎮静化のきっかけをつくったリーダーとして国内外から評価された。

また元外相であった経歴から、積極的な外交政策を展開して、テロにより孤立していたアルジェリアの国際的な信頼回復にも貢献した。

二〇〇五年頃からの国際原油価格の高騰も、ブーテフリカ政権に有利に働いた。後述するとおり、アルジェリアのマクロ経済指標は大きく改善され、ブーテフリカ大統領の指揮下で巨額の公共投資が実施された。国中で道路や住居が建設されて、多くの雇用が生まれ、二〇〇〇年代初頭に三割を超えていた失業率もある程度改善された。

またブーテフリカ大統領は、国営企業の解体と民営化を経済政策の柱のひとつに据え、市場経済への移行を積極的に進めた。さらに外国企業投資の促進に向けた炭化水素部門の改革も試みられた。ソナトラックが出資比率五一パーセント以上でオペレーターシップ（共同事業における操業の主導権）を維持したままであったが、石油・天然ガス開発に向けた国際入札も実施されるようになり、外国石油資本による投資も回復していった。

だが国民が当初抱いていたブーテフリカ政権への期待は、やがて深い失望へと変わっていくことになる。

ブーテフリカ大統領が再選を重ねていくにつれて、国民が目の当たりにしたのは、アルジェリアの権力構造がいかに強固であるかということだ。以下ではブーテフリカのこれまでの大統領選挙プロセスを振り返りながら、アルジェリアの最も深刻な「病」である権力構造に迫ってみたい。

†誰も予想しえなかった長期政権

まず、アルジェリアの大統領選挙制度であるが、任期は五年間で国民による直接投票によって大統領が選出される。第一回投票で候補者の得票率が過半数に満たない場合は、決選投票（第二回投票）にもちこされることになる。

以下でみるようにブーテフリカ大統領の場合、過去四度おこなわれた大統領選挙のいずれにおいても、第一回選挙で圧倒的な得票率（七割から九割）を獲得してきた。

まず、ブーテフリカが初当選を果たした一九九九年四月の選挙である。実はこの時点で、すでに不自然な点がみられていた。投票日の前日までに、ブーテフリカを除く六人の立候補者がすべて立候補辞退を表明したのである。

それらの候補者が立候補を取りやめた理由は、政府が体制寄り候補者（ブーテフリカ）に有利な不正（偽投票、すり替え、その他）をおこなっているというものであったが、立候補辞退は認められず、選挙が実施され、事実上単独候補者となったブーテフリカが七三・八パーセントの得票率を獲得して当選を果たしている。

二期目の選挙は、二〇〇四年四月に実施された。国論を二分し、有力候補とされていた元首相のベンフリースはわずかに六・四パーセントに留まり、ブーテフリカ大統領は八五パーセントの得票率という圧倒的な差をみせて再選を果たした。他に数名の立候補者がいたが、いずれも五パーセント以下の得票率であった。当時、敗れたベンフリースをはじめ、多くの党首が、選挙プロセスに不正があったと批判している。

ブーテフリカ政権が三期目をむかえる頃から、さらに雲行きが怪しくなってくる。二〇〇九年四月の大統領選挙を前にした二〇〇八年一一月、ブーテフリカ大統領は任期を再選までとする制限条項（七四条）の撤廃を盛り込んだ憲法改正案を提出し、上下院の国民議会にて賛成多数で可決されたのである。その後におこなわれた二〇〇九年四月の選挙では、公式発表で得票率九〇・二四パーセント（投票率七四・五パーセント）という国民の圧倒的支持を経て三選を果たした。

そして二〇一四年四月、ブーテフリカ大統領は、七七歳という高齢にもかかわらず、八〇パーセント以上の得票率を獲得して四期目の政権に突入した。しかも、前年二〇一三年四月に脳梗塞《のうこうそく》で倒れ、パリの軍病院で三カ月にもおよぶ入院生活をつづけた後で、リハビリもままならない状態での出馬であった。大統領職務の遂行能力を疑問視する声が多数あがったにもかかわらず、選挙直前に立候補を表明すると、あっけなく四期目も当選を果たしてしまったのである。

二〇一三年以降、病身となったブーテフリカ大統領は車椅子での生活を余儀なくされ、ほとんど公の場に姿をあらわすこともなくなった。国民の間では、いまブーテフリカ大統領は国内にいるのか、それとも海外で療養生活を送っているのか、あるいは、すでに死亡しているのではないかという噂まで飛び交うようになっていた。

政府は「大統領の健康状態に問題はない」と繰り返す。だが、ブーテフリカ大統領が職務を遂行できる状態ではないのは、誰の目から見ても明らかであった。

すなわち、大統領が国民の前にほとんど姿をあらわさないのに、アルジェリアの政治は相変わらず機能していたということだ。では、一体誰が政権を担い、政策を決めているのか。国民のあいだでそのような疑問が生じたのも当然である。

†ブーテフリカ大統領はなぜ権力を握りつづけたのか

以上のような状況にもかかわらず、二〇一九年二月、八一歳になったブーテフリカ大統領は五期目の立候補を表明したのである。大統領選挙が実施されれば、(当然のことながら) ブーテフリカ大統領が再選するだろう……現地メディアは相変わらずそのように報じていた。

石油価格が低迷し、日に日に経済状況が悪くなっているのに、一向に変化しないアルジェリアの権力構造。民衆の間に漂い始めていた絶望感が、ついに怒りとなって爆発し、大規模な抗議デモが全国に広がっていく。そして二〇一九年四月、民衆の蜂起を前にして、ブーテフリカ大統領がついに辞任を表明した。約二〇年間(一九九九〜二〇一九年)つづいた長期政権がようやく終わりを告げたのである。

なぜブーテフリカ大統領はこれほどにまで長い間、権力を握りつづけることができたのか。その答えの鍵となるのは、アルジェリアの独特な権力構造にある。その中枢は、次の三つの権力である。

第一にブーテフリカ政権を支えるFLN与党連合の支持基盤。ここにはブーテフリカ大統領の実弟で次期大統領候補と目されていたサイード・ブーテフリカ大統領顧問や首相をはじめとする閣僚、憲法評議会議長などが含まれる。

そして、軍（人民国軍、ANP）である。一九九〇年代のテロの時代、テロリスト掃討作戦を展開した軍は政治を支配するようになった。長年にわたりそのトップの座をつとめたのはガイド・サラ軍参謀総長（兼国防副大臣、二〇一九年一二月二三日に急性心不全で死亡）である。

そして「国家の闇」とされる諜報機関、アルジェリア情報治安局（DRS）である。特に二〇一五年まで局長であったメディエンは、ほとんどメディアに姿を現すことがなく謎につつまれていた人物であったが、その影響力は計り知れず、陰の権力者と呼ばれてきた。

すなわち、ブーテフリカが長年にわたり大統領であり続けることができたのは、これら三つの権力のコンセンサスが得られてきたということである。逆に言えば、ブーテフリカ以外に、これらの権力のコンセンサスを得られるような人物がいなかったのである。

常に有力候補と言われながらも惨敗してきたベンフリース元首相は、FLNから離れ、政治的支持基盤を失ってしまったため、票を伸ばすことができなかった。ブーテフリカ政権下で首相を二期（二〇一二～一七年）つとめ、次期大統領と有力視されていたアブデルマーレク・セラールも、ブーテフリカが大統領選挙への出馬を表明すると、権力による支持を得られないために、立候補を辞退した。

つまり次期大統領となるのは、これらの権力システムから推認を得られた人物のみということになる。ブーテフリカ大統領が五期目の選挙戦に出馬した場合、当選が確実視されたのはこのためである。なお、権力システムに守られた選挙プロセスにどの程度の不正があったのかは、誰にもわからない。大統領選挙はおこなわれるものの、ブーテフリカ以外に選択肢がない。そのような「見せかけの民主主義」に対して、国民は不満を募らせていったのである。

†取り残される民衆

このアルジェリアの独特な権力構造は、しばしば「プーヴォワール」と呼ばれている。「プーヴォワール」とはフランス語で「力、パワー」を意味する名詞であるが、アルジェリアでは政治的文脈で「国家権力」そのものを指している。したがって「プーヴォワール」は大統領自身の権力のみを示しているのではない。

ここまでみてきたように、アルジェリアの「プーヴォワール」（国家権力）は、与党FLNと軍、そして諜報機関によって構成される非公式のネットワークである。その関係性がどのようになっているのかを確認してみたい。

アルジェリアを独立に導いたFLNは植民地支配の歴史に終止符を打ち、国家建設の正当性を担う唯一の政党として長きにわたり一党独裁体制を築いていた。そのFLNによる一党独裁体制下で、軍はFLNと一体化し、その正当性を主張しつづけてきた。そして、そこに軍と密接な関係をもつ諜報機関（DRS）が加わることで、この国の絶対的な権力機構が築きあげられた。その結果、国のトップであるはずの大統領の地位も、軍と諜報機関、FLNによる特権的な権力機構の支持がなければ、維持不可能となった。またこれらの権力の中枢を取り囲むように、権力のサポーター（FLN傘下の諸団体、新世代保守エリート、民営企業家、イスラーム保守派など）も存在している。

一方この権力機構に相対する反対勢力は、歴史的な過程において細分化・断片化されてきた。FLN＝軍体制は、その溝につけこみ、反体制勢力に対して、抑圧・取り込み・相互の競争関係の扇動をおこなうことで、時代の変化（独立戦争時からの政治指導者の世代交代）に巧みに対応してきた（私市二〇〇九）。

すなわち、長年の政治支配体制のなかで、権力機構内部のメンバーは変化することがあるものの、その構造自体は不変ということだ。

長期政権を維持するブーテフリカ大統領は、「アラブの春」を契機にして、「国家の闇」であるＤＲＳの特権的な地位と影響力の排除に向けて、改革を試みた。二〇一三年九月に、ブーテフリカ大統領は、大統領令によってそれまで独立していたＤＲＳを軍の直属機関に再編し、一部の部局を大統領府の管轄下に置いた。また軍将校やＤＲＳの幹部も一部代替され、世代交代がおこなわれた。これにより軍やＤＲＳの権力の弱体化を狙ったとされている。

だが結局、その構造自体は変化していない。ＤＲＳを再編したとしても、大統領周辺を強化しただけの新たな特権的な受益者集団が形成されたというのが実態である。アルジェリアの権力中枢と権力サポーターは、依然として機能し続け、むしろ大統領の権力・裁量権がより強力となったかたちで、実権を握りつづけているのである。

†外資に依存する公共投資政策

最後に、ブーテフリカ政権時代の経済状況について詳しくみていこう。

すでに述べたように、二〇〇〇年代半ばに入り、産油国アルジェリアでは国際原油価格高騰による国庫収入の激増という強い追い風が吹き始めた。マクロ経済指標が一気に改善し、貿易収支は二〇〇八年には四〇六億ドルの黒字を記録した。懸案事項であった累積債務問題も、政府の支払い能力に十分な余裕が生じたことから早期返済を実施して、債務も（一九九六年の三三六億ドルから）二〇一一年には四四億ドルにまで軽減された。

政府は潤沢な資金を得たことで、大規模な公共投資計画を次々と発表していった。これは一言で述べるならば、炭化水素資源収益に基づく余剰収入の再配分を企図し、民衆の歓心を買おうとするポピュリスト型の政策であった。この大規模公共投資について少しみてみよう。

ブーテフリカ大統領が主導した公共投資計画は、年を追うごとに規模が拡大していった。二〇〇一年に発表された第一次五カ年計画の予算規模は七二億ドルであったが、二〇〇五年の第二次五カ年計画では一五〇〇億ドル、二〇一〇年の第三次五カ年計画では二八六〇億ドルに増額され、さらに二〇一五年に発表された二〇一九年を期限とする第四次五カ年計画では、二六二〇億ドルという予算が発表された。

各五カ年計画の詳細については、ここでは立ち入らないが、その多くの資金が基礎的インフラ整備、公共サービス、人的発展・失業対策に振り分けられてきた。そのなかには、テロと資金不足によって中断されていた首都アルジェでの地下鉄建設整備計画も含まれており、二〇一一年にはアルジェリア初となる地下鉄も開通している。さらに住宅の老朽化が深刻な国民に向けて、低家賃で入居可能な一〇〇万戸の住宅建設も打ちだされた。

同じく、ブーテフリカ大統領が国家の威信をかけて取り組んできたインフラ整備事業のひとつに、全長一二一六キロメートルの東西高速道路建設事業が挙げられる。首都アルジェを中心に、地中海沿岸部の主要都市を経由して、東はチュニジア、西はモロッコの国境を接続する大規模プロジェクトである。

同工事の入札に際しては、欧米を中心とする六四社の外国企業が応札したが、フランスやイタリアのライバルに打ち勝って落札したのは、日本と中国の建設会社であった。

二〇〇六年四月に伊藤忠商事と日系建設会社(鹿島建設、大成建設、西松建設、間組〔現・安藤ハザマ〕)によるコンソーシアム(COJAAL)が約四六億九〇〇〇万ドルで東部区間(三九九キロメートル)の請負工事を落札し、同じく、中・西部区間(それぞれ一六九キロメートル、三五九キロメートル)は中国のCITIC/CRCCが落札した。

日系建設会社(COJAAL)は、当初二〇一〇年に竣工《しゅんこう》を予定していたが、ルートの変更や様々な問題(丘陵地帯が多いため起こる、トンネル開削に伴う地盤沈下や周辺丘陵の地滑り等)が発生し、工期に大幅な遅れが生じてしまう。地滑りを防止するためにおこなう道路周辺地域のアスファルト舗装などの補強工事や、資材調達の難航などにより、建設費が膨らみつづけ、最終的には一五〇億ドルまで費用が増加してしまった。

図4-8　日系企業による高速道路の建設現場（コンスタンチーヌ）　出所：著者撮影

これに対してアルジェリア政府は、工事の遅れを理由にCOJAALへの代金の支払いを拒否し、一方COJAALは想定外の問題発生を理由に工事予算の増額を要求して交渉をつづけていた。

二〇〇九年八月に私はCOJAALが進める高速道路建設の現場（コンスタンチーヌ）を視察した（図4-8）。そのときの現場にいた工事担当者の話によれば、アルジェリア政府が提示する四〇カ月というあまりにも短い工期のために、当初から問題が発生していたという。工期が短いために、アルジェリア人の技術者を育てる余裕がなく、アジア系（ヴェトナム）の技術者を海外から調達してシフト体制による急ピッチな建設作業を進めなければなかった。せっかくの公共投資事業も、アルジェリア人技術者を育てるという長期的観点が欠如していたのである。

最終的に工事代金の増額をめぐるアルジェリア政府とCOJAALとの交渉は平行線をたどり、二〇一四年には国際仲裁裁判所への申し立てという最終手段を取らざるを得ず、二〇一六年七月に全工程八割の完成後、COJAALは撤退を余儀なくされる事態に陥った。

ブーテフリカ大統領は、二〇〇八年に自らの政策の失敗について、以下のように述べている（El Watan, 27 juillet 2008）。


我々が選択した道は、楽園に至るものではなかった。我々は、特に投資において自らの戦略とヴィジョンの見直しをしなければならない。私は特定の個人を名指したり、非難したりはしない。我々の誰もが責任を負っており、自己批判をしなければならない。一九八〇年代のアルジェリア政府は、いかなる交渉手段も権利ももっていなかったが、今日のアルジェリアは自らの政策決定権をもっており、それを実行すると決めた。……だが、民間企業は自らの利益だけを考えており、アルジェリア国民が求めているものを二の次に考えて退けている。投資家は過去三年間で七億ドルの投資をおこなったが、二〇億ドルの利益を吸い上げただけで、アルジェリアには何も残らなかった。このような投資はもう必要ない。

ブーテフリカ大統領は、これまでの政府投資計画の成果について、外国直接投資（FDI）が国内の生産的な投資に結び付いていないとして、自身が進めてきた外国投資誘致政策の失敗を認める発言をしたのである。

†アルジェリアはどこに向かうのか

原油価格は二〇〇八年七月に一バーレル一四七・二七ドルの最高値をピークに下降をはじめ、二〇一六年には四〇ドル前後にまで下落したものの、二〇一九年には、六〇ドル前後にまで回復した（二〇二〇年五月現在、新型コロナウイルスの需要ショック等の影響により三〇ドル台と低迷している）。

本章で指摘した通り、アルジェリア経済は炭化水素資源に大きく依存するモノリソース経済構造を特徴としており、歳入の約五～六割を炭化水素部門に依存するため、政府予算及び政策は油価の変動に大きく左右されてきた。アルジェリアの民間工業部門の発展・育成は依然として立ち遅れており、国内生産基盤は未整備のまま、外国製品や食料・医薬品などの輸入、サービス部門を中心とした外国直接投資がなければ経済が立ちゆかない状況がつづいている。

七年半にもおよぶフランスからの独立戦争で一〇〇万人以上もの犠牲者をだしながら、獲得した石油資源は、残念ながら「天の祝福」にはならずに「資源の呪い」となって、アルジェリア経済を蝕みつづけている。

そのような現状にもかかわらず、国民はなぜ強大な権力構造を黙認し続け、ブーテフリカ政権という現状維持を選択しつづけてしまったのだろうか。

政府の失策を非難し、社会が混乱の極みに達することで、九〇年代に起きた恐怖《テロ》が支配する悪夢の時代に回帰するよりは、社会不満や絶望的な未来、汚職と機能不全に陥っている現政権に目をつぶっていたほうがマシだったからである。

二〇一一年に隣国チュニジアで民主化運動「アラブの春」が起きたのに、アルジェリアでは驚くほど影響が少なかったのが、その証左である。長期独裁政権、工業部門の立ち遅れと高い失業率といった基本的な政治経済構造は、チュニジアと共通するところが多い。だが、アルジェリアの国民は、急激な民主化要求によって社会が変化することを恐れたのである。

アルジェリアでは、贅沢さえしなければ、基礎食料品（小麦粉、牛乳、食用油、砂糖）価格が政府補助金により世界一安い価格で手に入る。国内で供給されているディーゼルガソリンの価格は一リットル二〇円（二〇一七年時点）と、世界的にみて大変安価である（ベネズエラ、サウジアラビアに次ぐ低価格）。未曾有の石油価格の高騰の時期、国民は石油という富により供される食料や燃料などを前にして、「魂の服従」を強いられつづけてきたのである。

しかし、二〇一九年四月、その「魂の服従」も限界に達した。前述の通り国民の不満と怒りがブーテフリカを退陣に追い込んだ。以降、国民の怒りの矛先は、ブーテフリカ大統領の退陣のみに留まらず、FLNや軍という権力を握りつづけている強固な権力システム自体に向けられてきた。二〇一九年一二月におこなわれた大統領選挙では、アブドゥルマジード・タブーン（Abdelmadjid Tebboune）元首相が五八・一五パーセントの得票率で勝利した。タブーンはブーテフリカ政権時代に大臣や首相を務めたこともあり、またしても体制の抜本的改革を進める人物とは言い難い。首都アルジェでは選挙後も市民による大規模な抗議デモがつづいた。

だが、他のアラブ諸国にみられるように、既存の権力構造を解体することは、大きな社会変動を意味している。この先、石油資源を、国民の利益のために使われる「天の祝福」に変えていくことができるのか。かつてマグレブの獅子と呼ばれたアルジェリアの国民は、その岐路に立っている。

第５章
絶望の国のダイヤモンド

ボツワナのダイヤモンド採掘現場（写真：AP／アフロ）

1 紛争と先進国の影

†紛争多発地帯としてのアフリカ

一九九〇年代末、アフリカ大陸は世界でも類をみない紛争多発地帯となった。ストックホルム国際平和研究所の『軍備・軍縮年鑑』によれば、一九九八年の世界における主要な武力紛争発生国二八カ国のうち、実に一一カ国がアフリカ諸国であった。

一九九〇年代のアフリカでは紛争発生国の数だけでなく、その犠牲者の数も劇的に増大した。あまりにも膨大な数の人々が犠牲となったため、その正確な数はいまでも不明なままである。九〇年代から二〇〇〇年代初頭にかけてアフリカ大陸で紛争に巻き込まれて犠牲となった人々の数は、少なく見積もっても約五〇〇万人以上と言われている。

また、紛争が発生することによる悲劇は、直接的な武力衝突による死者だけに留まらない。紛争発生によって、もともと住んでいた地域からの避難を余儀なくされた難民・国内避難民、厳しい生活環境による飢餓・疾病、性暴力等による犠牲者を含めると、被害を受けた人の数はさらに増大し、統計をとることも困難な状況である。

アフリカでは、なぜこれほどまでの熾烈な戦闘が繰り広げられ、人類史上類をみないほどの犠牲者をだしてしまったのか。現代世界は、少なくとも過去の時代と比べれば、人類の英知が進歩して、平和な世紀に向けた歩みの途上にあったのではなかったのか……。アフリカの紛争地ではなにが起きていたのか、豊富な資源に恵まれるコンゴ民主共和国で、なぜ絶え間のない紛争が続いているのか。本章を通じて考えてみたい。

†アフリカの紛争地ではなにが起きていたのか

二一世紀を間近に控えた一九九〇年代末、国連をはじめとする当時の国際社会はアフリカの惨状に苦悩していた。それまでの日本を含む先進国に住む人々が抱いていたアフリカに対するイメージは、世界の片隅で、分裂した民族同士が憎しみあい、殺しあいをつづけている、というものであった。アフリカでつづく紛争と貧困の原因は、その国の独裁者による誤った政権運営と民衆への抑圧が招いたもので、我々の生活とは無関係な世界で起きている出来事なのだ、と先進国の人々は思ってきた。

だが、実際にアフリカの紛争地でなにが起こっているのか、なぜ多くの紛争が一〇年を超えるほど長期化し、激化しているのかについての考察が進められていくにつれて、アフリカでの紛争の多くが、我々の生活と無関係の出来事ではないことが明らかとなってきた。

たとえば、贅沢品の象徴とされてきたダイヤモンドなどの貴石類や、欠くことのできない生活必需品となったパソコンやスマートフォンの製造に原料として不可欠な鉱物資源の多くが、アフリカの紛争地で採掘され、闇に紛れて国際市場に流出されつづけているのである。

一年ごとに新しいモデルが発売され、もはや使い捨て商品のように消費されるようになってしまったスマートフォンやパソコン、高級店のショーウィンドウに飾られ「永遠の愛を誓う」ために購入されるダイヤモンド。これらの商品がどこからきたのか、そのもとをたどっていけば、我々の想像を絶するような労働環境と、それらの鉱石や原石をめぐる人々の憎しみあい、そして血で血を洗うような戦争にいきつく。

このような事実が明らかにされるにつれ、国際社会は先進国社会の豊かな生活をささえつづけている途上国の人々の悲惨な現状に無力さを感じるとともに、その責任の所在をめぐって苦悩するようになっていったのである。

†「血塗られたダイヤモンド」とアフリカ

一粒のダイヤモンドをめぐって多くのアフリカ人が殺しあいをつづけている。アフリカで繰り返される悲惨な「紛争」と先進国における贅沢品の象徴である「ダイヤモンド」、一見するとまったく無関係にみえる対極的なふたつの要素が、実は分かちがたく結びついている。

その論理はこうだ。アフリカで産出されたダイヤモンド原石の一部は、密輸などの非合法のルートを通じて国際市場に紛れ込み、その後先進国の消費者がその出どころも知らずに購入する。そこで生まれた利益は、直接・間接に、現地の武装勢力やテロリストたちの活動資金へと絶え間なく流れつづける。

二〇〇〇年代初頭にかけて、国連や国際NGOはこうした事実を次々と公表していった。そしてこれらのダイヤモンドは、いつしか「紛争ダイヤモンド」「血塗られたダイヤモンド」と呼ばれるようになった。

以下、この「紛争ダイヤモンド」産出国のなかで、特にコンゴ民主共和国に焦点をあててみたい。コンゴ民主共和国は、これからみるように、植民地独立から半世紀以上を経過した現在でも、依然として貧困や内戦に苦しみ、世界のなかでも最底辺に位置する国のひとつである。「ダイヤモンド」をはじめとする類いまれなる資源に恵まれながらも、貧困から逃れる術をもたないこの国の構造的な矛盾は、どこにあるのか。

その核心に迫るためには、少々遠回りになるが、コンゴ民主共和国の歴史やその政治構造、「紛争ダイヤモンド」問題発生時の国際情勢を踏まえる必要がある。まずはそこから確認していこう。

2 絶望の国――コンゴ民主共和国の歴史

†「アフリカの心臓」

コンゴ民主共和国は、アフリカ大陸の中央からやや南部、赤道上に広がる地域に位置しており、その面積は日本の約六倍にも達する。地理的に広大なだけではなく、この国は豊富な資源に恵まれている。熱帯気候に属する地方では、綿花、パーム油、サトウキビ、コーヒーなどの輸出に利用される換金作物に加えて、キャッサバやメイズ、米など、きちんと耕せば年に数回も収穫することができる。アフリカには珍しく気候に恵まれ、その恩恵により人々が充分に暮らしていくことが可能な土地なのだ。またコンゴ川という豊かな水脈も存在し、第2章でみたサハラ・サヘル地域のように灼熱の太陽や水不足に悩むことも少なく、下流のインガ地域での水力発電所を増設すれば、電力を近隣諸国に融通することも可能である。

そして、この国の最も重要な資源は、地中深くに眠っている。国内を銅、コバルトやマ

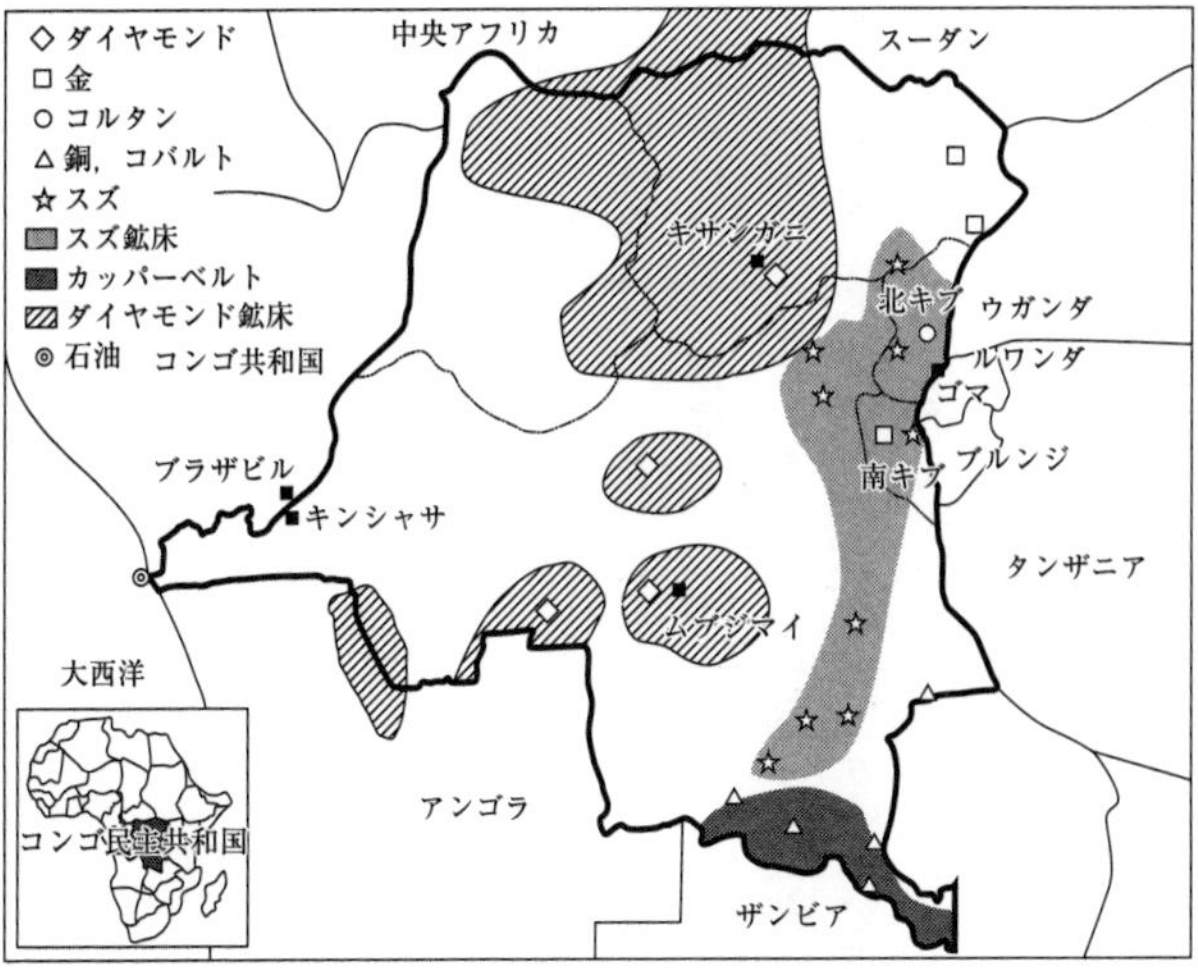

図5－1　コンゴ民主共和国　出所：Le Monde diplomatique, July 2006などを参照して作成

ンガン、ウランの鉱脈が縦横に走っており、ダイヤモンドの巨大な鉱脈も北東部や南部一帯に広がっているのである（図5－1）。

こうして熱帯性の気候に属する自然環境においても、地下資源の豊富さでもアフリカ随一を誇るコンゴ民主共和国は、「アフリカの心臓」と呼ばれ、人々の生活を豊かにするためのあらゆる条件がそろっているのである。

だがコンゴの人々が、その恩恵を受けることは決してなかった。コンゴの歴史は植民地時代から現在に至るまで、苦難と圧政、憎しみに満ちている。国家を私物化する一握りの支配者のもとで、民衆は抑圧されつづけ、二〇世紀末には「第二次世界大戦以降の人類の歴史で最悪の人的被害」と呼ばれるほどの内戦も勃発してしまった。

いったいなぜ、コンゴの人々は「苦難の道」を歩まなければならなかったのだろうか。

†植民地統治下の「赤いゴム」の国

まずは、この国の歴史を一世紀ほど遡《さかのぼ》ってみたい。一九世紀末、ベルギー国王レオポルド二世は、現在のコンゴ民主共和国にあたる地域を私有地に定め、この地を「コンゴ自由国」と名付けた。だが「自由国」とは名ばかりで、国王レオポルド二世は実質的なすべての支配権を握り、コンゴに居住する人々には一切の自由が許されていなかった。

レオポルド二世は、コンゴ自由国にもともと住んでいた人々を強制的に働かせて天然ゴムを採取するようになる。その結果、天然ゴムの輸出量は一九〇一年には六〇〇〇トンに増大し、当時の世界生産量の一〇分の一を占めるに至った。

だが、そこでは近代最初のジェノサイドとも呼ばれる残虐行為がおこなわれることになった。レオポルド二世の統治の間に、天然ゴムの採取が原因で過労死、もしくは殺戮された人々の数は当時の人口の三分の一に相当する約一〇〇〇万人にも達したのである。コンゴで産出されるゴムは、手を切り落とされた働きの悪い労働者たちの鮮血で染まっているとされ、いつしか「赤いゴム」と呼ばれるようになった。またその他にも当時の白人たちはコンゴ河の川下りをしながら、先住民たちの狩りを楽しんだ。深い密林の奥では数十万頭の象が殺され、大量の象牙がヨーロッパに向けて輸出されつづけた。まさにコンゴは、血塗られた国だったのである。

その後ベルギー政府は、同国を正式に植民地として併合し、国名を「ベルギー領コンゴ」へと改称する。国名を改称しても、宗主国による直接支配のもとで、経済的に従属する構造は変わらなかった。ベルギー政府による植民地政策は、ゴム採取から民間企業による銅やヤシ油の独占的な生産と輸出に置き換わっただけであった。

また同時期には、キサンガニ、ムブジマイ、ツィカパなど、現在でも採掘がつづけられている国内の主要ダイヤモンド鉱床も発見された。植民地独立までのコンゴでのダイヤモンド採掘は、ベルギー政府が権益の過半を所有するフォルミニエール社によっておこなわれた。フォルミニエール社にはアメリカ資本も参画し、一九二九年にベルギー領コンゴは、南アフリカに次いで世界第二位のダイヤモンドの生産地となった。

こうしてゴムや銅、ヤシ油、ダイヤモンドといったコンゴの大地から流れでる甘い蜜に、ベルギー資本をはじめとする欧米列強が群がるようになった。豊かな資源があるがゆえに、この国は一世紀以上も前から、帝国主義列強の利害が交錯する地となり、その貴重な資源を切り売りしてきた。原料供給国（一次産品輸出国）への固定化という、植民地として典型的な歴史をたどりつづけてきたのである。

†コンゴの独立とは何であったのか

この「ベルギー領コンゴ」に次の転機が訪れたのは、一九六〇年の植民地独立の年であった。一九五〇年代半ばから、多くのアフリカ諸国で植民地独立の機運が高まるなか、当時一介の郵便局員に過ぎなかったパトリス・ルムンバ（Patrice Lumumba）は、政治結社「コンゴ国民運動」を組織して、ベルギー政府にコンゴの完全なる独立を要求し、一九六〇年六月、国民の悲願であった植民地からの独立を達成する。しかしコンゴを独立へと導いたルムンバは、独立後の混乱のなかでベルギー政府と側近の政治家たちの策略にはまり、道なかばで殺害されてしまう。

ルムンバを失ったコンゴには、豊かな鉱物資源を狙う親米派のモブツ・セセ・セコ（Mobutu Sese Seko）による残虐非道を極める圧政と言論統制の時代が到来することになる（図5−2）。モブツは、独立後のコンゴで軍事参謀総長に抜擢されていた人物であった。しかし野心家であったモブツは、秘密裏にベルギーやアメリカと手を組み、親ソ連に傾きつつあったルムンバを裏切ったのである。

モブツは一九六五年にクーデタを実行して大統領に就任する。以降、九〇年代の内戦に至り国外逃亡をはかるまでの間、モブツは三〇年以上にわたり長期独裁政権を維持することになる。彼は、自身の政策に反対する政治家や閣僚等を国家反逆罪で次々と処刑していった。側近であったある高官は、フランスのル・モンド紙（一九九七年五月二〇日付）で、その凄惨な処刑現場を以下のように回顧している。

図5−2　モブツ大統領（1976年）　提供：アフロ

生きたまま両耳をもぎ取り、鼻を切り落とし、眼球をえぐり出して床に投げ捨てた。次に性器を切り落とした。そのときもまだ生きていた。そこで両腕と両足を順番に切断した。最後に残った肉体を袋に詰めて川に沈めた。

モブツは着実に「モブツ王国」の構築を進め、一九七一年一〇月に、独立後の国名となっていた「コンゴ民主共和国」から「ザイール共和国」（以下、ザイールと表記）に改称する。

†「ザイール化」政策

政治権力を掌握したモブツ大統領は、経済的権力を集中させるために「ザイール化政策」と呼ばれる国有化政策に着手していった。たとえばザイールの銅鉱山の支配権はベルギー資本が握っていたが、それを奪い、国営企業ジェカミンを創設した。またダイヤモンドの採掘に関しては、国営企業ＭＩＢＡが創設され、前述のフォルミニエール社に代わって採掘をするようになった。

旧宗主国をはじめとする外国資本を排除し、それに代わる国営企業を開発の主軸に据える動きは、「資源ナショナリズム」と呼ばれてきた。ザイールをはじめとする第三世界の資源国は、これまでヨーロッパ列強諸国の思うままに支配されてきた資源を自らの手に取り戻し、その管理の正当性、恒久的な主権を主張したのである。

一九七〇年代は、まさにこの「資源ナショナリズム」がアフリカでピークに達した時代であった。そしてそれは一九七四年に、世界経済体制自体の変革を目指す「新国際経済秩序」（ＮＩＥＯ）として結実する。第４章のアルジェリアの事例でみたように、一九六〇、七〇年代は、石油や鉱物資源を中心とした資源国が主導して世界経済体制のパワーバランスが大きく揺れ動いた時代であった。その政治的な動きと連動して、天然ゴムや銅などの鉱物資源の国際価格の高騰がつづいた。

そして、このころにはザイールのダイヤモンド生産は銅に次ぐ中核産業へと成長していた。前述のＭＩＢＡによるダイヤモンド原石の採掘は、デビアス社による全量買付の契約のもとでおこなわれていた。デビアス社とは、一世紀以上にわたりアフリカを中心にダイヤモンド原石を買い占め、業界のトップに君臨しつづけてきた、南アフリカ発祥でイギリスに本拠を置く巨大企業である。

後にデビアス社を支配しつづけることになるアーネスト・オッペンハイマーは、息子のハリー・オッペンハイマーに次のような手紙を綴っている。

コンゴのダイヤモンド生産を支配することができれば、デビアス社はダイヤモンド生産で世界を牽引する存在を維持することができるだろう。

デビアス社は、ザイールで産出されたダイヤモンド原石を完全に手中に収め、一九八〇年代まで独占的に買いつづけた。

国際的な資源価格の高騰という後押しを受けて、ザイールの国庫には多額の資金が蓄積され、モブツ大統領が推進した「ザイール化政策」は、この時期のコンゴに、一時的であれ経済的繁栄をもたらした。

†「ザイール化」政策の挫折

しかし、一九七五年には、発展途上国間の足並みが乱れ、銅の国際価格は急激に低下し、国家の屋台骨となっていた国営企業ジェカミンの輸出収益は激減し、経営状態が瞬く間に悪化していく。そして、ザイール政府の財政収入は、ジェカミンの収益に一元的に依存する経済構造であったため、銅価格暴落とともに主たる歳入源を喪失し、その結果モブツ大統領が掲げた野心的な国家的プロジェクトはいずれも失敗に終わった。さらに経営不振に陥った国営企業を支えるために多額の対外債務だけが膨らんでいくことになったのである。

一九八〇年代になると、発展途上諸国と先進諸国間の政治的力関係が反転する。八〇年代は、多くのアフリカ諸国で債務危機が顕在化していく時期であったが、ザイールはいち早くデフォルト（債務不履行）を宣言して、一九八三年にはＩＭＦが推奨する構造調整政策を受け入れるに至った。そして放漫財政のために返済の見通しがつかなくなった経済政策が制限され、累積債務により国家は破綻状態に追い込まれていく。

唯一、国家の財政収入源として残されていたのは、輸出の六割を占めるジェカミンの銅輸出収益とダイヤモンドの輸出収益（特にダイヤモンド価格は、原石の供給を一元的に支配するデビアス社が築きあげた独自の市場システムにより、他の鉱物資源とは異なり変動幅が少なく安定した国際価格で取引されていた）であったが、その利潤はすべて政府に吸い上げられる構造がすでにできあがっていた。

ジェカミンの生みだす利潤はモブツ大統領を頂点とする利益集団に吸い上げられつづけ、プラント設備の改修などの再投資には振り分けられなかった。その結果、ジェカミンの生産性は低下の一途をたどり、設備の老朽化が進行していった。これにより国家の歳入の六割を占めていた銅の輸出が不振に陥っただけではなく、その影響はザイールの工業部門全域に及んだ。

八〇年代後半に至り、膨大な借金を抱えながら国家が完全な行き詰まりの様相を呈しても、モブツ大統領の周辺に築かれた「王国」だけは揺らぐことはなかった。国際社会からの援助資金や米国からの資金提供は、モブツ大統領の懐に流れ込み、国庫の外貨が枯渇した。そして政府は財政赤字を補塡するために国内紙幣の乱発を繰り返した。そのため九〇年代にはいると、ザイールは年率一〇〇〇パーセントを超すハイパー・インフレーションに突入、あらゆる生産活動が瀕死状態となり、国内の経済活動は完全に麻痺した。ザイール通貨は紙切れ以下の価値しかなくなってしまい、人々は、一切れのパンを買うために、大きな袋に紙幣の束を詰めこまなければならなくなった。モブツ大統領による国家の私物化で、最大の犠牲を強いられたのは他ならぬザイールの民衆であったのだ。

こうして独立後のコンゴは、モブツという一人の独裁者のために、民衆の生活はずたずたに引き裂かれてしまった。では、中部アフリカに位置する広大な資源国で、三〇年以上もの独裁政権を維持してきたモブツという男はどのような人物であったのか。

†モブツ王国はなぜ維持できたのか

モブツ大統領の独裁政権は、まさに「王国」であった。モブツは、自身を取り巻く側近たちに自らを頂点とする王国への忠誠を誓わせ、親類縁者を中心とする私的な「権力空間」を構築していった。本来であれば経済発展に不可欠な公共投資に利用されるべき国家予算や中央銀行の資産を私的な財産として扱う統治体制は、家産制国家《かさんせいこっか》（国家の私物化）と呼ばれるが、モブツはこれをつくりあげた。

また、この支配者に対して服従者が依存する「パトロン・クライアント」関係は、しばしばアフリカにおける特徴的な統治体制として指摘されてきた。この場合の「パトロン」とは、統治者・支配者を意味しており、個人的な忠誠に基づく服従者である「クライアント」に資源（金銭等）を分配する。本来、国民から徴収した資源は、政府によって管理され、国民に再分配されるべきものであるが、家産制国家では資源は権力基盤の強化のために「パトロン・クライアント」関係を通じて恣意的に利用される。「パトロン」に従属して政治的忠誠を示す「クライアント」もまた、与えられた地位を利用して蓄財し、さらに下位に属する自分の「クライアント」に資源を分配する。こうした「パトロン・クライアント」関係の連鎖が、国家を内的に支える構造となるのである。当然、権力構造から排除された者には資源が配分されず、反抗すると抑圧される。

ザイールの政治体制は、まさに、このような「パトロン・クライアント」関係の典型的事例であった。ダイヤモンドが生み出す収益も、その恰好《かっこう》の餌食《えじき》となっていた。

モブツは個人的繋がりをもつ人物をMIBA総裁に指名して、その見返りとして自分の個人口座に毎月二〇〇万ドル以上の金額を送金させつづけた。またモブツは、フランスとの友好関係を強化するためジスカール・デスタン大統領にダイヤモンドを献上したり、アンゴラのマルクス主義政権（MPLA）の打倒を目指すアンゴラ全面独立民族同盟（UNITA）のジョナス・サヴィンビ指揮官への資金提供もおこなっていた（なおUNITAは後にアンゴラのダイヤモンド鉱床を制圧し、その密輸収益から内戦を継続した）。

以上のように、モブツ大統領は、外国資本の接収と農業部門のほとんどを支配下に収めたことで、その利益を独占することに成功する。またダイヤモンドは外交手段としても活用され、モブツの権力基盤はさらに強化されていったのだ。

†東西冷戦構造の落とし子「虚栄の権力者」

モブツ大統領とその取り巻きは、国庫の私物化はもとより、世界銀行やIMFからの援助資金も内部に取り入れ、その権力基盤を支えていた。その多くの資金は、海外に開設された銀行口座に送金されるか、海外の不動産に投資され、モブツ大統領の個人資産は、世界の富豪たちと比肩する規模へと成長していった。

報道によれば、モブツ大統領は、フランス（パリ）をはじめ、スイス、モロッコなど世界二〇カ所以上に別荘を所有していたのに加え、ブラジルのコーヒー農園、南アやスペインのホテル等、無数の資産を世界各地に所有していた。ザイール北部グバドリットの広大なジャングルのなかに建設されたモブツ大統領の私邸には、フランスの超音速高速機コンコルドも発着可能な滑走路が整備され、三つの宮殿が建設された。

このようなモブツ大統領の個人資産は少なくとも五〇億ドル以上に達していたと推定されている。国際援助資金を横領し、国家を私物化し、人権を無視した独裁体制は、国内外からも明らかであったが、なぜ国際社会や先進諸国は、モブツ政権を黙認し、ザイールの天然資源の私物化を放置しつづけてきたのか。

その理由のひとつとしては、米ソが対抗する冷戦構造のなかで、ザイールが共産主義に対する西側諸国の緩衝地としての役割を果たしていたことが挙げられる。

西側諸国は、アフリカの大国のひとつであったザイール情勢が不安定化し、中部アフリカに混乱が生じること（アンゴラなどの共産主義勢力が拡張すること）をおそれ、モブツ大統領が権力の座に居座りつづけることを黙認し、直接・間接に支援してきた。米国政府だけでも、毎年二五〇〇万ドルほどの資金がモブツ大統領に直接提供されていたと言われている。このような背景により、モブツ大統領を頂点として肥大化した腐敗ネットワーク（親族、寵臣《ちょうしん》、顧問など）は権力基盤を強大化させ、三〇年以上にもわたり「虚栄の権力者」を延命させてしまったのである。いわば、モブツ政権は東西冷戦構造が生んだ落とし子であったと言える。

†冷戦終結から崩壊へ

モブツ大統領がおこなった国内資源の無法な収奪、国内政治での反対勢力に対する容赦のない粛清《しゅくせい》や言論統制は、その背後にある国際的なパワーバランスによって事実上放置された。だが永遠につづくかと思われた「モブツ王国」は、冷戦の終結とともに崩壊への道をたどることになった。

なぜなら冷戦終結は、国際的な対抗関係（バランス、勢力地図）を大きく塗り替えるとともに、アフリカ諸国における政治的均衡の崩壊も意味していたからだ。冷戦期には、アメリカなどの西側諸国はモブツ政権への資金・軍事支援を通じてアンゴラでの代理戦争を続けていた。だが冷戦が終結すると、西側諸国にとってのザイールの地政学的重要性が急速に失われてしまった。そしてザイールをはじめとするアフリカの国々では、国家のアイデンティティ自体も危機にさらされ、西側諸国からのバックアップのないモブツ大統領も統治者としての権力を失った。すなわち絶対的な権力が不在となり、ザイールに「権力の真空」を生じさせたのである。

米ソ超大国の冷戦体制下では、周辺国はザイールに眠る鉱物資源の利権の獲得をねらうことはできなかったが、「権力の真空」はそれを可能にした（次節参照）。同時に、全国の地方に群雄割拠していた反政府勢力は、権力不在の陥穽《かんせい》をついて武装蜂起し、モブツ政権下で抑え込まれていた不満を一挙に爆発させた。

政府に反旗を翻した武装勢力は、その戦費を捻出する資金源として国内に広がるダイヤモンド鉱床に目をつける。モブツ大統領の権力が弱体化し、無秩序状態となったために、ダイヤモンド鉱床を制圧し密輸することで、内戦を継続するための戦費をまかなうことが可能となったのである。平時よりも戦時のほうが、独占的な利益をあげることができるのだ。このような状況のもとで、政府軍も反政府武装勢力もあえて正面対決を避けるような構造ができあがり、内戦は長期化していった。

次節では、「アフリカ大戦」とも呼ばれた膨大な犠牲者が生じたコンゴ内戦の経緯とダイヤモンド資源との関係性について考えてみたい。

3 内戦に明け暮れるアフリカ諸国

†「アフリカ大戦」とダイヤモンド

コンゴでは、九〇年代に二度の内戦を経験し、とくに第二次内戦(一九九八〜二〇〇三年)は、近隣六カ国(ルワンダ、ウガンダ、ジンバブエ、アンゴラ、ナミビア、ブルンジ)を巻き込んだ「アフリカ大戦」とも呼ばれる大規模なものであった。第二次内戦では、近隣諸国の正規軍に加え、反政府武装勢力、民兵、民間軍事企業等の多様な主体が参戦する複雑な対立構造となった。そして戦乱に乗じて、各主体が同国に眠るダイヤモンド原石や希少金属などの鉱物資源を奪い合う状況が発生した。

コンゴ内戦は、推計三三〇万人という膨大な犠牲者を生みだした。この「第二次世界大戦以降に生じた世界における戦争のなかで最も高い死亡率をだした」（IRC, 2003）と言われる内戦は、そもそもどのようにして発生したのか。まずは、モブツ大統領による独裁政権が崩壊した第一次内戦（一九九六〜九七年）についてみてみよう。

冷戦後のアフリカでは、米ソ超大国間の政治的対立の消滅により、ザイールにおけるモブツ大統領の絶対的な政治権力にほころびが生じはじめていたことはすでに述べた。しかし、一九九六年に勃発する第一次内戦は、そのような国内情勢がきっかけではなく、その二年前に発生したルワンダのジェノサイド（大量虐殺）によって流入した大量の難民の存在が直接的な誘因となった。

一九九四年四月から七月にかけて、ザイールの隣国ルワンダでは、民族対立によるジェノサイドが発生した。ルワンダのジェノサイドでは、それまで長年にわたり抑圧されつづけてきたフツが蜂起し、わずか三カ月余りの間に約八〇万人ものツチが虐殺された（ベルギーは植民地統治期に、多数派の民族集団であったフツに対して少数派のツチを「優越する部族」とみなして支配階級にすえていた）。

このジェノサイドは、ツチ出身でゲリラ組織ルワンダ愛国戦線の司令官であったポール・カガメが政権を奪回した後に終息する。だが虐殺をおこなったフツ側は、新政権による報復を恐れて、一五〇〜二〇〇万人が国境を越えてザイール東部地域（ゴマ、ブカブ）

に逃れていった。こうした難民のなかにはザイール東部を拠点とする武装勢力に取り込まれ、元々その地域に居住していた人々に対しての略奪や殺戮を繰り返す者が現れ、この地域の治安が急速に悪化した。

コンゴの第一次内戦は、このような混乱のなか、一九九六年九月に、モブツ政権打倒を目指してローラン・カビラ将軍がコンゴ・ザイール解放民主勢力連合（ＡＦＤＬ）を率いて挙兵したことで発生した。そしてＡＦＤＬは、わずか二カ月で主要都市を陥落し、翌年五月には首都キンシャサに無血入城した。ここに民衆の生活を顧みずに自国の資源の収奪の限りをつくしてきたモブツ政権が打倒されたのである。そして一九九七年、国名は、ザイールから再び「コンゴ民主共和国」に改称された。

しかしモブツの排除に成功したローラン・カビラ将軍は、新大統領に就任すると、自らの権力基盤強化を目指してルワンダとウガンダの指導者層の排除に着手する。これに対して、ルワンダとウガンダ政府は国境付近の治安の悪化（安全保障）を理由にコンゴ国内に軍隊を派兵し、東部地域を次々と陥落し、制圧していった。一方で、カビラ政権は、南部アフリカ開発共同体（ＳＡＤＣ）に援軍を要請、カビラ政権を支援するジンバブエ、アンゴラ、ナミビアなどが軍事介入して大規模な紛争（第二次内戦）へと発展していったのである。

カビラ大統領は、第二次内戦の最中、戦費の調達とイスラエル製の武器の購入を目的として、デビアス社との契約を破棄して、イスラエルのダイヤモンド会社（ＩＤＩ）にコンゴのダイヤモンド買付の権利を二〇〇〇万ドルで譲渡した。そして、イスラエル軍部に広い人脈をもつＩＤＩ社は、イスラエルの民間警備会社と委託契約を結び、密輸の取締をおこなった。すでに内戦下のコンゴから、隣国のコンゴ共和国をはじめとして、ザンビア、アンゴラ、ブルンジなどの近隣諸国へ、二～四億ドル規模のダイヤモンドの密輸が横行していたため、カビラ大統領はＩＤＩ社にその取り締まりも委託しようとしたのである。

しかしＩＤＩ社の独占買付と密輸の取り締まりは効果がなく、ＩＤＩ社の買付額は激減し、隣国への密輸は拡大の一途をたどることになった。武装勢力、警察・軍部、ダイヤモンド鉱夫たち、貿易商など、あらゆる人物が密輸に携わっていたコンゴには、あらゆる抜け穴が用意されていたのである。当時、コンゴだけで年間三億ドルものダイヤモンドが密輸されていたと推算されている。

この時期のコンゴ周辺国、すなわちコンゴ共和国や中央アフリカ、ルワンダでは、ダイヤモンド産出国でないにもかかわらず、その輸出額が急増している。たとえばベルギーでは、ダイヤモンドがまったく産出されないコンゴ共和国からのダイヤモンド輸入額が、一九九七年に四億五四〇〇万ドルにも達している。また中央アフリカからも、九〇年代を通じて年間一億ドル程度のダイヤモンドの輸入が確認されている。

これらのダイヤモンドはすべて、コンゴ民主共和国から、非合法なルートを通じて流出した原石であったのだ。

†なぜダイヤモンド鉱床は制圧しやすいのか

かつてないほどの戦乱に見舞われたコンゴ民主共和国では、全土に広がるダイヤモンド鉱床が武装勢力により制圧され、密輸が横行した。武装勢力がそのような略奪行為をなしえた理由のひとつは、ダイヤモンド鉱床の特質と関係が深い。

ダイヤモンド原石が含まれる火成岩は、人参のような逆円錐形の鉱脈を形成している。これらの鉱脈はキンバーライトと呼ばれ、巨大な重機を使用して、すり鉢状に掘り進んでいけば、そこに含まれるダイヤモンドを採取することが可能である。

このようなキンバーライトでの採掘は、鉱脈を直接掘り起こすため、重機や運搬用のトラックなどで事足り、比較的少ない労働力での採掘が可能であり、またその周辺地域に警備員等を配置することで、セキュリティ管理が可能である。この採掘法は、アフリカではボツワナや南アフリカ、そして、ロシアやカナダなどのダイヤモンド産出国では主流となっている（本章扉写真）。コンゴでも国営会社（ＭＩＢＡ）がキンバーライトでの機械採掘をおこなっている。

このように、ダイヤモンドに限らず、高度な採掘技術や大規模な設備投資が必要な集中配置型資源は、武装勢力による制圧のターゲットになりにくい。石油や天然ガス、ボーキサイト、銅などの鉱物資源も、このような集中配置型資源であるので、大規模な採掘施設が必要とされ、同様にターゲットになりにくい。もちろん、第2章で述べたように、アルジェリア南部のイナメナスで起きた天然ガス精製プラントへのイスラーム急進派勢力によるテロのようなことが散発的に発生することはある。だが、大規模な採掘施設を武装勢力が制圧したとしても、そこで採掘される石油や鉱物資源を国際市場で継続的に売りさばくのは困難であるので、資金源を得るために武装勢力がこのような採掘施設をターゲットにすることはほとんどないと言えよう。

だが、重機での採掘とは別の、より原始的な手法による採掘がおこなわれる場合もある。卓上地に形成されたキンバーライト鉱床は、悠久の風化侵食により、ダイヤモンド原石が河川によって運ばれ、周辺地域の川底の泥土で見つかるケースも多い。コンゴやアンゴラ、シエラレオネなどでは、このような漂砂鉱床（河成鉱床）が広範囲にわたって形成されており、河川が広がる広範囲の地域でダイヤモンド原石を見つけることができる。

漂砂鉱床での採掘方法は単純である。採掘人たちが河川の水のなかでの比重を利用して、

図5－3　リベリアの漂砂鉱床でダイヤモンドを採掘する鉱夫たち
提供：共同通信社

無数の砂利のなかからダイヤモンド原石を分離して取りだすというごく原始的な方法がもちいられる（図5－3）。だが、漂砂鉱床での採掘には膨大な労働力が必要だ。鉱夫たちは手作業でダイヤモンド原石の採掘作業をつづけており、一次産品共通基金の推計によれば、コンゴ、アンゴラ、シエラレオネの三カ国だけで約一二〇万人という膨大な数の鉱夫たちがいる。

コンゴだけでも、このようなダイヤモンドの漂砂鉱床は四万カ所以上もあると言われている。

コンゴのような国では、広い地域に鉱床が分布しているので、採掘場や収益の流れを政府が管理・監督することは容易ではない。そのためコンゴのダイヤモンド採掘は、インフォーマル（非公式）産業として放置されてきたのである。

†戦費として利用されるダイヤモンド

国内の治安が乱れ、戦乱が拡大するほど、武装勢力は鉱床地帯を制圧しやすくなるし、そこで採掘されたダイヤモンド原石を搾取し、非合法のルートを通じて国外に持ちだすことが容易となる。そして、これが武装勢力に資金提供の機会をもたらす。

逆に言えば、戦時（治安が悪化し、政府のコントロールが全土に及ばない状態）は、武装勢力にダイヤモンド収益を享受する絶好の経済的機会を提供することにつながる。武力紛争をつづけることが、ダイヤモンドの密輸による収益を享受するうえで「合理的な行動」となるのである。戦争が長引けば長引くほど、武装勢力に、経済的メリットをもたらすことになるのだ。

これは、本来であれば反政府武装勢力を殲滅し、国内の治安を回復するべき立場である当該政府にとっても同様で、政府は紛争という混乱状態に経済的メリットを見出すことができるのだ。コンゴの不法採掘に関与するのは、コンゴ政府高官、軍人、現地取引業者、反政府勢力、さらには近隣諸国政府およびベルギーやイスラエルなどのダイヤモンド取引国の業者などで重層的で非公式の人的ネットワークが形成されていた。

たとえば現在でも紛争が続くコンゴ東部地域では、約五〇近くの小規模で多様な武装勢力が活動をつづけている。それらの小部隊は、全面的な対立を避け、時には協力関係を築きながら「生き残り」を図っている。最近の報告では、国際犯罪組織も不法な鉱物資源取引に深く関与しており、軍人や政府高官もその利益の享受者である。言わば、紛争や無秩序のなかで誰もが一定の利益を享受しながら均衡がとれた状態なのだ。

逆に和平が成立し、政府による鉱床の管理や統治が強化されれば、そのメリットは失われてしまう。紛争下で地方行政を指揮する政府高官が得ていた賄賂や汚職の経済的メリットも失われてしまうかもしれない。

そして武装勢力が支配統治する地域では、女子供を問わず残忍にレイプあるいは殺害され、財産は略奪され、家は焼かれ、教会・学校・病院が徹底的に破壊される。農村部ではひとつの集落が根こそぎ破壊され、社会インフラは壊滅する。生活手段のすべてを放棄し逃げ延びた住民は、すでに貧困の真っ只中にある近隣の村の保護を受ける難民となり、絶望に打ちひしがれた若者はいずれかの武装グループに組み込まれていく。こうした状況のなか多くの少年兵（一四〜一六歳）が戦闘に動員され、暴力が暴力を生む負の連鎖が拡大していった。

†アンゴラ、シエラレオネの内戦

以上のような紛争地における非合法なダイヤモンド原石の流出問題は、コンゴ民主共和国だけに留まらなかった。国際ＮＧＯグローバル・ウィットネスの調査によれば、四半世紀に及んだアンゴラの内戦下においても、反政府武装勢力であったＵＮＩＴＡは、国内のダイヤモンド鉱床の七割を制圧し、ダイヤモンド原石を密輸することで、約三七億ドル（一九九二～九八年の合計）の収益を得ていたとされる。

さらに、西アフリカの小国シエラレオネにおいても内戦中に大量のダイヤモンド原石の流出が確認されている。一九九一年から二〇〇〇年にかけて約一〇年間におよび、五〇万人もの大量の犠牲者をだしたシエラレオネ内戦では、革命統一戦線（ＲＵＦ）がダイヤモンド鉱床を含む同国のほぼ東半分を制圧し、密輸により少なくとも年間一億ドル程度の収益をあげていた。ＲＵＦは、村々を襲撃する際に子供を誘拐して強制的に軍事訓練をおこない、子供兵部隊を組織するとともに、現地住民に対する無差別な虐殺、手や足を切断したり、耳を削《そ》いだりといった非人道的な残虐行為をおこなったことでも知られている。

ＲＵＦが搾取したダイヤモンド原石は、隣国のリベリアに持ち込まれ、シエラレオネと同様に泥沼の内戦が繰り広げられていたリベリアからは、大量の自動小銃カラシニコフ

（AK47）がRUFに提供された。リベリアには一九九四〜九九年の間に約二二億ドルのダイヤモンド原石が密輸されていた。

ダイヤモンド産出国で内戦が勃発すると、ダイヤモンド原石の密輸による経済的利益を求める隣国をも巻き込んでしまう。そうして崩壊国家が連鎖的に発生し、紛争が広域化していったのである。

4 なぜダイヤモンドの密輸はなくならないのか

†憎しみを生むダイヤモンド

これまで述べてきたように、一九九〇年代のアフリカの多くの紛争国では、ダイヤモンドの密輸による輸出収益が武装勢力の資金源となっていたことに加えて、コンゴのような国では、ダイヤモンドという地球上でもっとも高価な鉱石をめぐり、政府やその周辺国政府、武装勢力の間で激しい暴力が繰り広げられてきた。

すでに指摘したように、アフリカ諸国での紛争問題は、モブツのような支配者が長年にわたり独裁政権を維持し、国家を私物化してきたことに最大の原因がある。だが、腐敗した統治体制が維持され、そして「虚栄の権力者」が三〇年以上にもわたり延命できた一因は、冷戦構造のなかで諸外国の利害関係のバランスを巧みに利用し、そこに自らの存在価値を見出したことにあった。

同時に、モブツのような長期独裁政権が維持され、そして、政権崩壊後に、アフリカのダイヤモンド産出国で、紛争が長期化し熾烈化《しれつか》してしまったのは、我々先進諸国側の人間がダイヤモンドという鉱物資源を渇望してきたからでもある。森の奥深くに生えるゴムの木や大地に眠るダイヤモンドやレアメタルという天然資源があったからこそ、コンゴは植民地時代から列強諸国により支配され、その国土は切り裂かれてきた。

植民地独立から半世紀が経過した現在でも、独立運動の闘士であったルムンバが夢みた美しい未来は訪れることなく、コンゴ周辺の諸外国は対立しあい、多くの犠牲者をだしながらも分裂がつづいている。

アフリカでのダイヤモンドの採掘状況と紛争との関連については、すでにみてきたが、以下では、我々が渇望してやまないダイヤモンドが、密輸というインフォーマルな世界でどのような意味をもっているのか、そして、採掘場からどのようにして持ちだされ、どのような輸送経路を経て我々先進国の市場にたどり着くのか、そのプロセスについて考えてみたい。

†鉱山街へ一変する村々

たとえば、アフリカ中部にある首都から遠く離れた寒村で生まれ育った子供たちが、あるとき川底に光る珍しい石を発見したとする。その珍しい石は、子供たちにとってうってつけの遊び道具となるだろう。

だが、ヨーロッパから訪れたバイヤー（買付人）が休憩するために、たまたまその村に立ち寄ったとする。なにもない寒村であるが、彼は街道沿いにある小さな食堂でコーヒーを飲むことにした。バイヤーは、食堂の脇で子供たちが遊んでいる鈍く輝く石に目をとめる。その瞬間、これまで世界とは切り離されてきた名もなき村の様相は、その日を境にして一変することになる。その衝撃は、この国全体へとあっという間に広がり、わずか数週間後には、一攫千金を狙った無数の男たちが村に押し寄せることになる。鉱脈の発見にはそのようなインパクトがある。

第3章で紹介したマダガスカルのサファイア鉱山街イラカカの事例でもそうであった。イラカカは、サファイアが発見される前までは、わずか四〇人の農民が住む小さな村にすぎなかった。しかしサファイアが発見されて、わずか一年半後には一〇万人以上もの人々が暮らす巨大な鉱山街へと変貌したのである。

さきほどのたとえ話の続きで、村はこんな風になる。都市部から押し寄せてきた鉱夫たちは、寝泊まりできるだけの簡素な家々を建設する。その後、農民がほそぼそと暮らしていた平和な村の光景は、次のように一変する。まず、鉱夫たちが立ち寄る小さな食事処やシャベルや杭《くい》などの道具を売る雑貨店が次々と開店し、鉱夫たちが稼ぎだすわずかな日銭を当てにした売春婦たちが押し寄せる。さらに村の幹線道路の両脇には銃とボディ・ガードを携えた外国人バイヤーの買付事務所が軒を連ね、滑走路も建設されて、プライベート・ジェット機が轟音を響かせながら離着陸を繰り返すようになる。ダイヤモンドをめぐる殺傷事件が頻発するようになり、鉱夫の子供たちは、学校で教育を受けることもなく、そんな混沌とした街で幼少期を過ごすことになる。

アフリカの資源国では、いまでも、このような鉱山街があちらこちらで生まれつづけている。

†原産国での密輸の現状

ダイヤモンドは、あらゆる意味において密輸が最も容易な商品のひとつである。たとえば、二七カラットの原石の大きさがどの程度であるか、想像してみて欲しい（ちなみに一般的な婚約指輪は〇・三カラット程度)。一二七カラットというと法外な大きさに思えるが、重さは五・四グラム、大粒のブルーベリーほどの大きさにすぎない。

その市場価値はいくらになるか。内包物の有無などの品質にもよるが、原石の価格は五万二〇〇〇ドルほど、先進国での市場取引価格は少なく見積もっても五〇万ドル以上の値段がつけられるだろう。ダイヤモンドの価格は長年にわたりデビアス社が原石の買付と供給を独占してきたため、金など他の鉱石とは異なり価格変動が少なく、国際取引価格が大きく下落することもない。

これほどの小さなモノで、これほどの高い値段がつく商品は、地球上でダイヤモンド以外に存在しない。一度国外にダイヤモンド原石を持ちだせば、法外な利益となる。しかも簡単に売却でき、その追跡は不可能に近い。

たとえば、紛争地で採取された貴重な木材や鉱物と比較しても、この点において、ダイヤモンドは特別な地位を与えられてきた。武装勢力が熱帯雨林の希少な木材を伐採して闇市場で売却するとしても、その輸送や、積み込みにかかる手間とコストを考えれば、ダイヤモンドの密輸がいかに手っ取り早い換金手段であるか、容易に想像がつくであろう。

それゆえに、採掘現場の権利者(武装勢力・政府関係者)、バイヤー、採掘場の監督者たちは、掘りだされたダイヤモンド原石を密かに運ぼうとする者がいないか、昼夜を問わず監視をつづけなければならない。

運び屋にとっても採掘地域近くでの密輸は常に命がけである。アメリカのジャーナリストであるトム・ツェルナー（Tom Zoellner）は、「紛争ダイヤモンド」国のひとつに指定されていたアンゴラでの取材を通じて以下のように記している（Zoellner, 2007)。

アンゴラのクアンゴ川から四体の遺体が引き揚げられた。身元を特定することが不可能なほどに遺体は膨れあがっていたが、唯一の手がかりとなりそうなものは、一人の男の腕に残されていたダニーというタトゥーだけであった。だが、それが彼の名前を示しているという確かな証拠はない。四体のうち二体は、固く縛ったプラスチック製のゴミ袋にいれられていた。そして、すべての遺体の首元から腹回りにかけてロング・ナイフか、マチェーテ（山刀）のようなもので切り裂かれ、内臓が取りだされていた。想定される状況はこうだ。四人のうち一人が、ダイヤモンド原石を飲み込み、体内に隠しもっていた。そして、その男たちを殺害した者――おそらくは警察か軍人――が、死体の体内からそのダイヤモンド原石を探しだそうとしたのだろう。

アンゴラやコンゴ、中央アフリカの採掘地域の川では、しばしば内臓が引き裂かれた死体が発見される。それは、このブルーベリーほどの大きさのダイヤモンドを隠すために、それを飲み込んで、後日、排泄物のなかから取りだすという方法が多いからだ。体内に隠されたダイヤモンドは、その人間を殺して体を引き裂かなければ発見することはできない。そのため、引き裂かれ、川に投げ捨てられた遺体が多く発見されるのである。

また、かつて採掘場を取り仕切っていた三七歳のカサンガは、武装勢力が監視する密林のなかで現金を持ちだす方法について、次のように述べている（Zoellner, 2007）。

コンドームを用意するんだ。そして、ドル紙幣の札束を筒状にまるめて、その中にいれ、しっかりと結ぶ。それを肛門に押し込むこともできるが、兵士がそれを見つけてしまうかもしれない。もっと良い方法は、飲み込むことだ。コンドームに紐をつけて、片一方を自分の歯にくくりつける。俺は、喉を通りやすくするため、飲み込むときにヴィックス（のど薬）を塗るんだ。慣れてくれば、この方法で自分は四〇〇〇ドルまで飲み込むことができるようになった。もしコンドームをつないでいる糸が切れてしまったら？　腐った牛乳と水を混ぜたやつを飲めばいい。下痢になって、そいつを回収できるからな。ジャングルのなかでのダイヤモンド取引では、「フランクリン」（一〇〇米ドル紙幣）が使われる。この国の米ドル紙幣がどれも赤茶けたシミがついているのはなぜかって？　誰かの血液か、内臓を通ってきたからだ。

†原石のゆくえ

アフリカ大陸で採掘されたダイヤモンド原石は、その後どこに向かうのだろうか。これまで、アフリカで産出された原石の八割がベルギーのアントワープに持ち込まれてきた。アントワープには、世界有数のダイヤモンド業者が軒を連ねているからである。では、ベルギーまでの空路での密輸は、どのようにしておこなわれているのだろうか。

空港でセキュリティチェックを抜けるときに重要な点は、密売人と怪しまれないように身なりを整えること。その際、（採掘地帯のように）ダイヤモンドを飲み込む必要はなく、小袋にしまい込んで胸のあたりにテープで貼り付けさえすれば、空港のセキュリティ・チェックや税関などはやすやすとすり抜けることができる（麻薬と違い、麻薬犬に察知されないように気を配る必要もない）。もしくは、サーモボトルのなかに隠しもったり、靴底に細工してかかとに忍ばせたりすることもできるだろう。過去には、交通事故で失った義眼の裏側にダイヤモンドを隠していたという例もある。

そうしてベルギーに入国し、アントワープ中央駅を降りれば、数百軒ものダイヤモンド買付業者の事務所が所狭しとならぶ、世界最大のダイヤモンド取引街が広がっている。

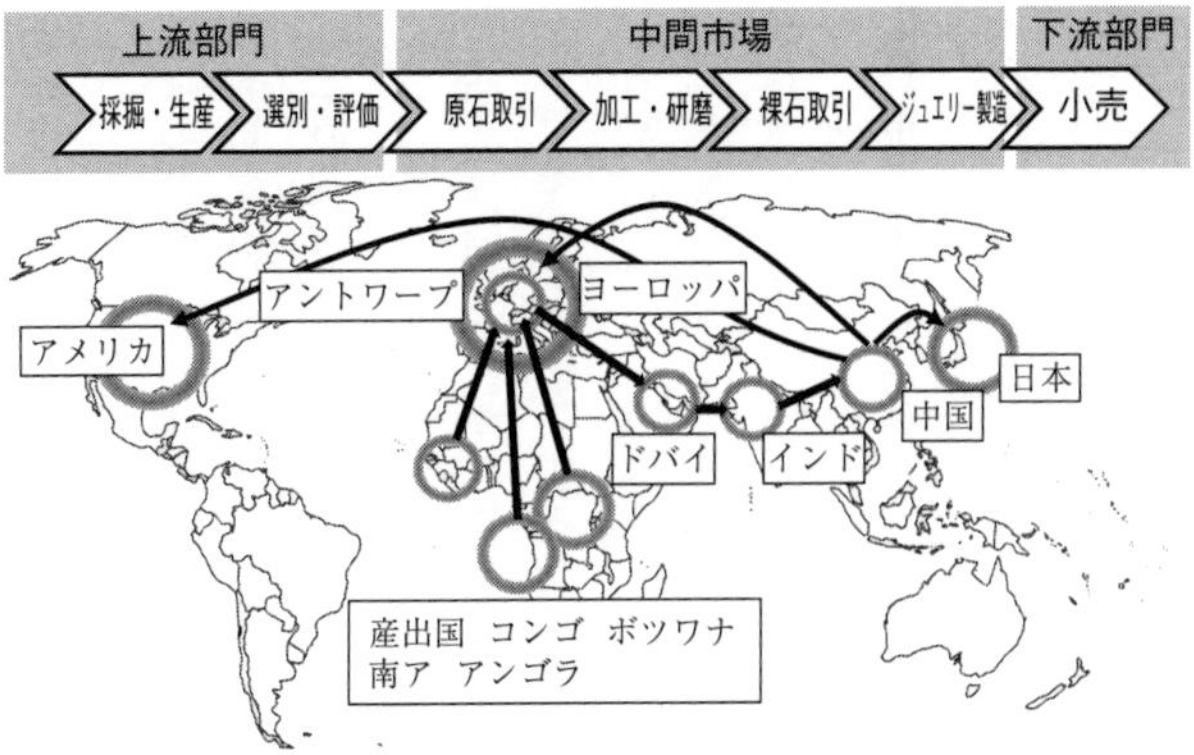

図5－4　ダイヤモンド・パイプライン（国際流通過程）　出所：Amnesty International などの資料を参照して作成

部厚い防弾ガラスで仕切られたブースの向こうのガードマンにパスポートを提示して、バイヤーと対面する。紛争地で採掘されたダイヤモンドを買い取ってくれるバイヤーを探し出すには、ＵＮＩＴＡの党旗を掲げている店かどうかが手がかりとなる。

バイヤーは、ダイヤモンドをルーペで一瞥《いちべつ》してから値段を提示する。その額を承諾すれば現金取引が終了する。なんら書面や交渉の言葉をとり交わすことなく取引は終了する。一連の取引プロセスで、原石がどこで採掘されたものであるかについて尋ねられることはない。

その後、原石はデビアス社の子会社であるダイヤモンド・トレーディング・カンパニー（DTC：Diamond Trading Company）に集積される。ダイヤモンド原石の九割以上はインドの研磨産業が発展している加工地（スーラト）に直接輸送され、多くの国を経由しながら通常五〜六回もの転売が繰り返される。

この複雑な国際流通過程は「パイプライン」と呼ばれ、その過程で世界中で採掘されたダイヤモンドが入り交ざる。そしてパイプラインは、大抵の場合、一年以上をかけて終着地である先進国市場にたどり着くことになる（図5－4）。

ダイヤモンドがコンゴで採掘されたものなのか、アンゴラで採掘されたものなのか、（専門の機関に委託すれば別であるが）見た目ではほとんど判別不可能である。それ以前に、ダイヤモンドを購入する先進国の人々は、原産国がどこであるのか、気にする者など誰もいない。

こうしてアフリカで採掘された「血塗られたダイヤモンド」は先進国市場に紛れ込み、世界中の無数の高級ジュエリーショップの店先に並べられることになるのである。

†国際市場に流出しつづけたダイヤモンド

我々が手にするダイヤモンドには、どのくらいの割合で「紛争ダイヤモンド」が紛れ込んでいるのであろうか。

ここに、アフリカで採掘されたダイヤモンド原石のうち非合法な手段で流出した原石が

表5－1　アフリカのダイヤモンド輸出（単位：100万ドル）　出所：UNCTAD

	1995	1996	1997	1998	1999	2000
アンゴラ	245.0	327.0	330.0	250.0	450.0	600.0
ボツワナ	1,437.0	1,721.0	2,727.0	1,429.0	2,100.0	1,887.0
中央アフリカ	71.9	64.0	65.0	50.0	70.0	80.0
コートジボワール	0.8	1.0	1.0	1.0	1.2	1.4
コンゴ民主共和国	450.0	500.0	350.0	250.0	300.0	330.0
ガーナ	12.9	14.1	15.0	156.0	160.0	170.0
ギニア	27.9	25.6	1.6	2.0	2.0	2.0
モーリシャス	1.2	0.3	0.2	0.0	1.8	0.2
ナミビア	483.0	433.9	550.2	500.0	550.0	600.0
ルワンダ	0.5	0.5	0.7	0.0	0.4	1.8
シェラレオネ	3.4	5.0	5.0	2.5	3.0	3.0
ウガンダ	0.2	0.2	0.2	1.4	1.8	1.5
南アフリカ	358.8	500.0	455.0	318.0	400.0	777.9
原産地不明	1,500.0	2,500.0	2,000.0	3,500.0	3,900.0	3,900.0
アフリカ合計	4,233.8	5,592.6	6,045.9	6,141.9	7,540.2	7,576.9

どれくらいであるのかを示す、興味深い統計がある。

国連貿易開発会議（UNCTAD）が発表した統計によれば、一九九五年のアフリカ産ダイヤモンド原石の輸出額は約四二億ドルであるが、そのうち、原産地不明とされるダイヤモンド原石の輸出額が一五億ドルにも達していたことがわかる（表5－1）。

その規模は、年々増加をつづけ、二〇〇〇年には総輸出額約七六億ドルのうち三九億ドルものダイヤモンド原石が正規のルートを経ずに、国際市場に流出していた。実に半数以上のダイヤモンド原石が、どこで採掘され、どのような商業ルートを経由して輸出されたのか、わからないということだ。

換言すれば、ティファニーの宝飾店で「永遠の愛」を誓い、愛する人に贈るために購入したダイヤモンドリングの四つに一つは、闇に紛れて不法に持ちだされ、テロリストのマネーロンダリングなどに利用されたダイヤモンドであることを意味している。また、一〇人のうち一人が、アフリカの人々の憎しみを増幅させ、子供兵を麻薬漬けにするための資金源として使用されたダイヤモンドを身に着けている、ということになるのである。

†ダイヤモンドはなぜ輝くのか

原産地が不問であるならば、人々はダイヤモンドの何に価値を見出してきたのか。実は、ダイヤモンドを人々が渇望する貴石へと生まれ変わらせたのは、先ほどから登場している、一九世紀から一五〇年近くにわたりダイヤモンド産業の頂点に君臨しつづけてきたデビアス社という一つの企業であった。

現在世界中の多くの人々がダイヤの婚約指輪を贈るのがあたかも欧米の伝統的な習慣であるかのように信じているが、この習慣は、いかにして民衆の手に届く贅沢品として位置づけるかを考えたデビアス社により、つくりだされたものなのだ。婚約指輪にダイヤモンドを贈るというのは、デビアス社が世界最大の広告会社に依頼して、人為的につくりだした「商業イメージ」の賜物なのである。そうして人々は、婚約するとき、月給の三カ月分を支払ってダイヤモンドを購入するようになった。

デビアス社は、この炭素のかたまりを神聖化し、愛の象徴とする「ダイヤモンドは永遠の輝き」(A Diamond Is Forever) というキャッチコピーを生みだした。このわずか四つの英単語が、世界で最も影響力をもったキャッチコピー、マーケティングの成功例として語り継がれてきた。デビアス社がつくりだしたダイヤモンドに対するイメージは、世界中の人々の心を見事に捉え、購買意欲を爆発的に増大させたからだ。

最盛期の八〇年代には、デビアス社は世界で採掘される原石の八割近くを買い占めるという比類なき独占体制をつくりあげた。デビアス社によって買い占められた原石は、品質ごとに五〇〇〇種類ものカテゴリーに分類される。そして、研磨されたダイヤモンドの価格は、4Cと呼ばれる品質基準にしたがって決められる。4Cとは、大きさ (Carat、カラット数)、カラー (Color、無色が最高品質で、DからZまでのグレードが存在する)、透明度 (Clarity、内包物〔キズ〕の有無)、カット (Cut、研磨の美しさ) を意味しており、この四つのCの条件を満たしているほど、ダイヤモンドの価格は飛躍的に高くなっていく。すなわち、消費者の興味は4Cの条件をいかに満たしているかであり、そのダイヤモンドがどこで採掘されたかは、値段や品質とは無関係なのである。

†「紛争ダイヤモンド」とキンバリー・プロセス

以上のような、先進国とアフリカ諸国との間で繰り広げられていた異常な事態が指摘されたのは、一九九〇年代後半になってからのことであった。

国連安保理は、一九九八年に内戦国アンゴラに対してダイヤモンド禁輸措置を発動する。国連の調査によって、残虐で非人道的な行為を繰り返す武装集団の資金源がダイヤモンド原石にあることが判明したのだ。また国際NGOのグローバル・ウィットネスは、翌九九年に「死に至る取引」というキャンペーンを展開し、「先進諸国の消費者のネックレスとなっている」ダイヤモンドがアフリカ地域で展開される血で血を洗う紛争と密接に関連していることを国際社会と先進諸国の消費者に向けて警告した。それらの効果もあり、国連のダイヤモンド禁輸措置の対象国は、二〇〇〇年代以降、シエラレオネ、コンゴ民主共和国、リベリアへと拡大した。国連の統計で示したように、一九九〇年代後半には世界中に原産地不明の原石が流出しつづけていた。つまりダイヤモンド原石に対して支払われた対価がどのように使用されるのか、二〇〇〇年代初頭まで、我々はまったく気付かずにいた。

国際NGOや国連の危機意識が高まり、ダイヤモンド産業界を巻き込んだ国際問題として人々に周知されるようになると、「紛争ダイヤモンド」問題を題材とする映画も製作された。二〇〇七年四月に日本でも公開されたレオナルド・ディカプリオ主演の映画『ブラッド・ダイヤモンド』（原題：Blood Diamond）である。内戦下のシエラレオネが舞台となった映画だ。

そして国際市場に流出をつづける「紛争ダイヤモンド」を市場から排除するための具体的な対応策が各国政府、ＮＧＯ、国際機関、ダイヤモンド業界の間で協議され、二〇〇三年に、ダイヤモンド原石の輸出に対する原産国証明添付の義務付けと、原産国の定期的な国際監査団の受け入れを含む国際枠組みとして「キンバリー・プロセス認証制度」（ＫＰＣＳ）が発足した。

ＫＰＣＳには、当初ＥＵ（一五カ国）を含む七一カ国が参加を表明し、ダイヤモンドの輸出に際して、原産国証明の添付が義務付けられたことで、「紛争国」に指定されたダイヤモンド原産国が取引から排除されることになった。これまではその複雑な流通過程を理由にダイヤモンド原産地の同定は不可能だとされていたが、ダイヤ原石の原産地証明発行システム構築の要請と原産地同定の具体的方法が提示されたのである。

しかしながら、ＫＰＣＳに課題がないわけではない。厳格で独立性を維持したモニタリングに膨大な時間とコストがかかること、また、第三国を経由した密輸をどのようにして防ぐかも問題となっている。さらに、鉱床地帯での児童労働の問題など、人権侵害に対する規制枠組みなども規定されておらず、構造的な問題を完全に解決するまでには至っていない。

†それでもダイヤモンド採掘はつづく

アフリカの川底で発見されたダイヤモンド原石は、世界中を飛びまわり、無数の人々の手を経て輝きを増し、その価格は累積的に高くなっていく。

冷戦終結後、アフリカの幾つかの国はそれまでの超大国による後ろ盾を失うとともに、国家の実行支配力が大きく弱体化し、経済基盤がずたずたに引き裂かれ、崩壊した。そして、それまで国家が独占的に利益を享受していた鉱物資源やダイヤモンド収益を前にして、反政府武装勢力や軍閥は、その「機会」を逃さず捕捉することで容易に利潤獲得に成功し、そのことが紛争の発生リスクを高めた。コンゴ民主共和国では、虐殺とモブツによる独裁政権がつづき、その崩壊後の内戦では三三〇万人もの人々が戦乱のなかで命を失った。子供兵などの残虐な武装集団が登場したシエラレオネでは五〇万人が殺害された。

こうした「紛争ダイヤモンド」産出国となったアフリカ諸国は、グローバル経済の重層的な変化のなかで生じた均衡バランスの崩れとともに、国際流通過程で取引価格が飛躍的に高騰するプロセスに直接的に結びついてきた。その意味で、「紛争ダイヤモンド」問題は、国家の皮膜を失ったインフォーマル部門が、グローバル化の負の側面と符合したひとつの過程として捉えることができよう。

現在、「紛争ダイヤモンド」問題は、KPCSの実施により大きな注目を浴びることはなくなった。しかしながら、ダイヤモンド産業という磁力に引き寄せられた人々で動くグローバル市場、先進諸国に対する資源供給地として垂直的に統合されているアフリカの原産国、無数の露天掘り鉱夫で形成されるインフォーマル労働市場を最低辺とした国内流通過程のピラミッド構造という、基本的な経済構造はまったく変化しておらず、アフリカ諸国がこの商品連鎖の末端から脱却する可能性は、未だほとんど見出すことができないのである。

第 6 章

「狩り場」としてのアフリカ農地

ウガンダでみられる換金作物(茶)の大農園(著者撮影)。
ウガンダはアフリカ第2位の茶の生産国である

1 食料価格の高騰

†食料価格高騰の衝撃

二〇〇八年、世界の食料輸入国に激震が走った。コメやトウモロコシ、大豆、小麦などの主要穀物の国際価格が高騰し、次々と過去最高値を更新していったのである。図6－1に示したように、主要四品目の国際価格は、二〇〇〇年から二〇〇八年にかけて二倍から三倍の価格へと高騰している。特にコメの国際価格は、二〇〇八年のピーク時に三・五倍にも跳ね上がった。さらに二〇一一年、二〇一二年にも、再び食料価格の高騰がみられた。二〇一九年時点では、二〇〇〇年時の一・五～二倍程度の水準に落ち着いているが、予断を許さない状況がつづいている。

この史上まれにみる食料価格の高騰という異常事態をうけて、二〇〇八年当時、自国市場を優先するために作物の輸出規制措置を講ずる国が続出した。世界第三位のコメの輸出量をほこるインド政府は、自国民の食料確保を優先してコメと小麦の輸出を規制し、同様の動きが中国やベトナム、カンボジアなどにも波及していった。一方、基礎食料を輸入に

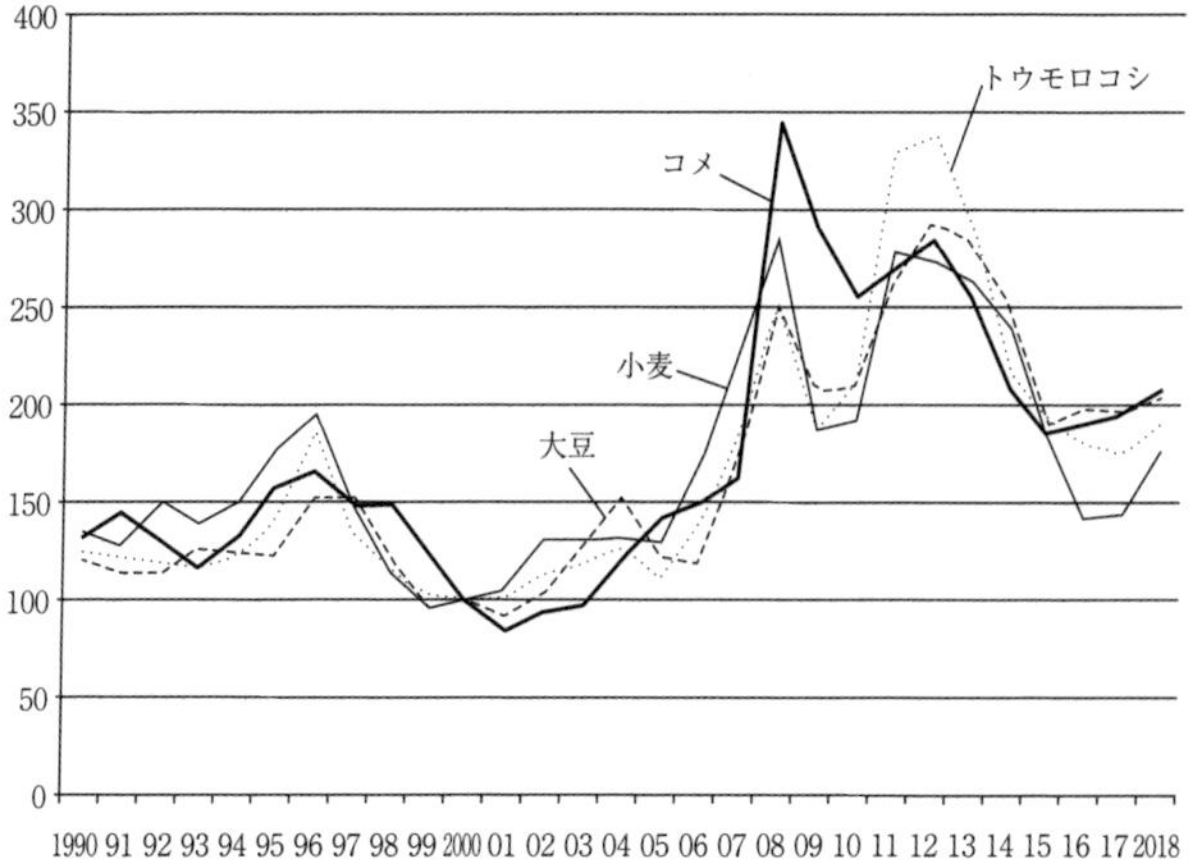

図6－1　主要4品目の価格指数（2000年＝100）　出所：IMF の統計から作成

依存するエジプトやハイチなど一五にのぼる国で、国内の食料価格が高騰し、民衆によるストライキや暴動が発生した。

二〇〇八年以降の世界的な食料価格の高騰については、いくつか要因が指摘されている。まず、オーストラリアやカナダ、ロシアなどの主要な穀物生産国で天候不順により生産量の減少が発生した。この供給面での問題に加えて、高い経済成長をつづけていた新興国を中心とした諸国で食料需要が増大したことで、さらに需給が緊迫し、その結果、食料価格の上昇が引き起こされた。

また、中国やインドなど新興国での食生活の変化による国内需要増が生じ、それにともなう飼料穀物の需要が増加したことも挙げられる。その他に、二〇〇〇年初頭からの石油・鉱物資源の価格の高止まりによる化学肥料など投入財価格の高騰、またヨーロッパやアメリカなどでトウモロコシを原料とするバイオ燃料生産の増加、機関投資家による穀物のコモディティ（商品）市場への投資拡大など、複数の要因が連鎖的に重なり、食料価格の高騰を後押ししたのである。

†「食料の安全保障」

　いずれにせよ、二〇〇八年以降の世界的な食料価格の高騰は、先ほど述べた途上国や食料生産国のみならず、世界中の国々に影響を与えることになった。特に、耕地が少なく食料資源の乏しい中東の産油国（サウジアラビア、カタール、ＵＡＥ）や実需が急増しつづけている新興国には、食農資源の確保が「食料の安全保障」の喫緊《きつきん》の課題として認識されるようになった。

　たとえば、サウジアラビアは世界有数の産油国であるが、三二〇〇万人を超える人口を食べさせるために穀物（小麦、トウモロコシ）や乳製品を中心に国内消費の八割の食料を海外からの輸入に依存している。サウジアラビアは、一九八〇年代以降、自国での食料自給率を向上するために汲み上げた地下水を活用して、食料の増産を積極的におこなってきたが、地下水資源の枯渇が懸念されることから減産していった（二〇一六年に断念しており、再び食料輸入国に転落している）。二〇〇八年以降からつづいている食料価格の高止まりの状況は同国にも影響し、サウジアラビアは自国のための食糧生産用に、海外の農地を確保する動きを加速させることになった。

また一二億人もの人口を擁し、急速な経済成長をつづけるインドは、世界有数の穀物生産・輸出国として食料自給率が高いことで知られている。インドはコメを年間約一億トン生産しており、その一割程度を輸出にまわしている。だが、一部の地域では地下水の不足や生産コストの上昇などの問題に直面していることから、今後は海外投資を通じた「食料の安全保障」の充実を図ることが国家の政策目標に据えられるようになった。

このように自国の領土に十分な耕作可能地が存在しない中東諸国や都市化の進行や食料（肉類等）の需要増加が予想されている新興国は、「食料の安全保障」を課題とし、どのようにすれば安定的に食農資源を確保することができるのかを模索している。

その解決策のひとつが、他国の土地を獲得してそこで食料生産をおこない、それを持ち帰ることで、自国の食料供給の安定確保を図るというものである。

2　農地というフロンティアの発見

†「未耕作地」はどこにあるのか

食料生産をおこなうために最適な土地、すなわち「未耕作地」と呼ばれる土地は世界にどれくらい残されているのだろうか。

世界銀行は、「未耕作地」を、人口密度が低く（一平方キロメートルあたり二五人以下もしくは二〇ヘクタールあたり一世帯以下）、非森林地帯、かつ非自然保護区域で農作物栽培が可能な土地と定義している（World Bank, 2011）。

世界をみわたすと、このような「未耕作地」は四億四六〇〇万ヘクタール（一ヘクタールは一〇〇メートル四方の土地面積）残っており、そのうちの約半分（二億一五〇〇万ヘクタール）がアフリカ大陸に集中していると言われている。

アフリカのなかでも広大な「未耕作地」が残されているのは、スーダン、コンゴ民主共和国、モザンビーク、マダガスカル、チャド、ザンビアといった国々である。世界銀行によれば、最も控えめな試算をしたとしても、二〇三〇年まで毎年六〇〇万ヘクタールの途上国の「未耕作地」の開墾が可能としている。またアメリカの大手コンサルティング会社であるマッキンゼー・アンド・カンパニーの試算によれば、アフリカの農産物の生産額は、現在の二〇八〇億ドルから二〇三〇年には八八〇〇億ドルに増加すると予測している。

すなわちアフリカ大陸には、気候的に農作物の栽培が可能かつ手つかずの広大な土地が残っており、巨大なビジネスチャンスが眠っているということだ。

では、これらの広大な「未耕作地」はどのようにしたら手に入れることができるのか？ 二〇〇八年の食料危機以降、輸入穀物の依存度の高い各国政府は、自国の「食料の安全保障」という政策目標を実現するために、途上国政府に農業開発構想を働きかけている。

一方で、農業部門への慢性的な投資不足に悩む途上国政府は、世界的な食農資源への関心の高まりを好機と捉え、インフラ整備もパッケージ化された外国投資に積極的な姿勢を示すようになる。このような投資環境の変化に、多国籍企業は大きなビジネスチャンスを見出し、アフリカに残された「未耕作地」という最後のフロンティアを目指して、津波のように押し寄せている。

ここで世銀などの国際機関が使用する「未耕作地」という言葉について、簡単に補足説明しておきたい。「未耕作地」と呼ばれる土地は、あくまで外部からみて「使われていない土地」、あるいは「生産性が低く有効に使われていない土地」ということだ。

だが実際には、このような土地であっても、現地の小農にとっては様々な自給作物を生産する重要な生計基盤の一部である場合が多い。一見すると放置されている土地にみえても、共同の放牧地として利用されていたり、移動耕作のための休閑地であったりするからだ（池上二〇一三）。

現地住民にとっては重要な生計基盤の一部をなしている土地であるのに、国際機関などの外部の組織からは有効利用されていない土地と評価される。このような土地に対する両者の見解の相違が、二〇〇八年以降、各地で様々な抵抗や運動につながっていく。まずは、この「未耕作地」をめぐる農地取引がどれほどの規模であったのかをみていこう。

†加熱する「ランドグラブ」

大規模な農地（ここでは、外国企業による主として食料作物生産向けの土地面積五〇〇ヘクタール以上の投資として取り上げる）を確保しようとする動きは、「ランドグラブ」（Land Grab、土地収奪）と呼ばれるようになった。

投資の目的には、食料や飼料作物の生産だけでなく、バイオ燃料、炭素クレジットの獲得なども含まれる。この中には、ときに一〇〇万ヘクタールを超すほどの「メガ農地」投資案件もあり、土地は、農地リース（貸し付け）、コンセッション（開発権の許認可）などの形態で民間企業に付与されていった。これらの民間企業には、アメリカやヨーロッパ（イギリス、オランダ、ノルウェーなど）に加えて、中東諸国（サウジアラビア、UAE、クウェート、カタールなど）、韓国、中国、インドなどを出自とする様々な企業が存在している。

広大かつ肥沃な土地が、民間の一企業にリースされていく現状に対して、スペインに本拠をおく国際NGOのグレイン（GRAIN）は、二〇〇八年一〇月にいち早く『強奪！二〇〇八年の食料および金融の安全保障に向けたランドグラブ』と題した報告書を発表して、次のように警告している（GRAIN, 2008）。

（二〇〇八年の）食料危機と金融危機が同時に発生することで、「ランドグラブ」が世界規模で展開されることとなった。基礎的な食料を輸入している国の政府は、自国外で食料生産のために海外の広大な農地を強奪しつづけている。その一方で、飢餓に見舞われている最貧国の農地が、政府や外国企業により私物化されており、こうした状況がつづけば、世界的に展開されている「農地収奪」により、多くの貧困国の農村や零細農業が壊滅的な状況に陥ることになるだろう。

グレインが警告するのは、「自国の食料を海外で確保すること」が、「海外の土地（食料）を収奪すること」につながりかねない危険性を孕んでいる、ということだ。

さらにグレインは、最初の報告から八年が経過した二〇一六年、農地開発を統括する最新の報告として『グローバルな農地収奪――広さと深刻度に関する考察』を公表している。当初、加熱したランドグラブは、様々な地域で大規模土地取引に対する抵抗や運動を引き起こし、いくつかの土地取引は頓挫した。しかし「ランドグラブ」の問題が終息したわけではない、とグレインは指摘する（GRAIN, 2016）。

特定の諸国が特定の地域に新たなフロンティアをつくりだしており、それは植民地分割のような様相を呈している。たとえば日本政府の支援を受けた日本企業は、大豆の生産用地としてブラジルとモザンビーク北部に注目している。中国企業は、ニュージーランドやオーストラリア、さらにはロシア極東地域の農地を積極的に買い付けている。ロシアの西側に位置するルーマニアやウクライナなどの農地は、ヨーロッパ企業が好んで投資する地域となった。インド企業はエチオピアでの投資に名乗りを挙げ、フランスとポルトガルの企業は、かつて植民地だったアフリカの国々への進出を果たしている（なおアメリカとイギリスの企業は、ほとんどの地域でみることができる）。

†農地取引の実際の規模

実際に、アフリカ大陸では、どれほどの規模の農地開発が進められているのだろうか。前提として言えることは、現状では様々な情報が錯綜しており、その正確な規模や地理を捕捉することが極めて難しいということだ。

たとえば報道ベースでは、政府と企業間で数百万ヘクタールもの農地獲得に向けた投資計画が発表されながらも、実施に至らなかった案件も多数存在する。またプロジェクトが実施されても、当初の計画通りには進まず、リースされた土地の一部が利用されただけで放棄されたケースもある。対象とされる農地の取引面積や契約内容が何度も変更されることや、情報公開されないということも多く、正確な把握が困難であるのが現状である。

このような状況下においても、先述のグレインやオックスファム（Oxfam）などの国際NGOは、メディアや現地調査、企業の公表資料をもとに、世界の農地取引の実態について独自に集計をまとめて発表している。

そのなかでも比較的信頼度が高いデータを提供しているとされているのが、独立の土地モニタリング機関であるランド・マトリックス（Land Matrix）である。ランド・マトリックスのデータは、ヨーロッパの複数の研究機関で情報源のクロスチェックをおこないながら、維持・管理されている。二〇一六年四月に発行された『農業向け国際土地取引』によれば、多国籍企業による締結済みの土地取引件数は、世界で一二〇四件、その規模は四二四〇万ヘクタールに達するとした（Land Matrix, 2016）。

ランド・マトリックスが指摘する四二四〇万ヘクタールという土地の広さは、具体的にはどれくらいであるのか。たとえば日本の国土面積が三七八〇万ヘクタールであるので、それを優に超える広さの土地が世界で取引され、何らかの書面や口頭によるやり取りがおこなわれているということになる。

そのうちアフリカにおける農地取引の対象となっている面積がどれくらいであるかといえば、現在確認できているのが、世界全体の約四分の一にあたる一〇〇〇万ヘクタール、これに加えて今後は一三二〇万ヘクタールの土地が取得予定とされている。

図6－2は、ランド・マトリックスが確認した土地取引の地理的分布（ヒートマップ）を示している。濃く塗られている部分が集中的な土地取引契約が取り交わされている地域であり、南米のブラジルやウルグアイ、アジアではカンボジアやインドネシア、東欧ではウクライナやルーマニアなどが、そしてアフリカ大陸では、西アフリカおよび東アフリカ（スーダン南部からモザンビークにかけて）が際立っている。

これほどの土地が、投資国と投資受入国の政府間（あるいは受入国政府と多国籍企業間）

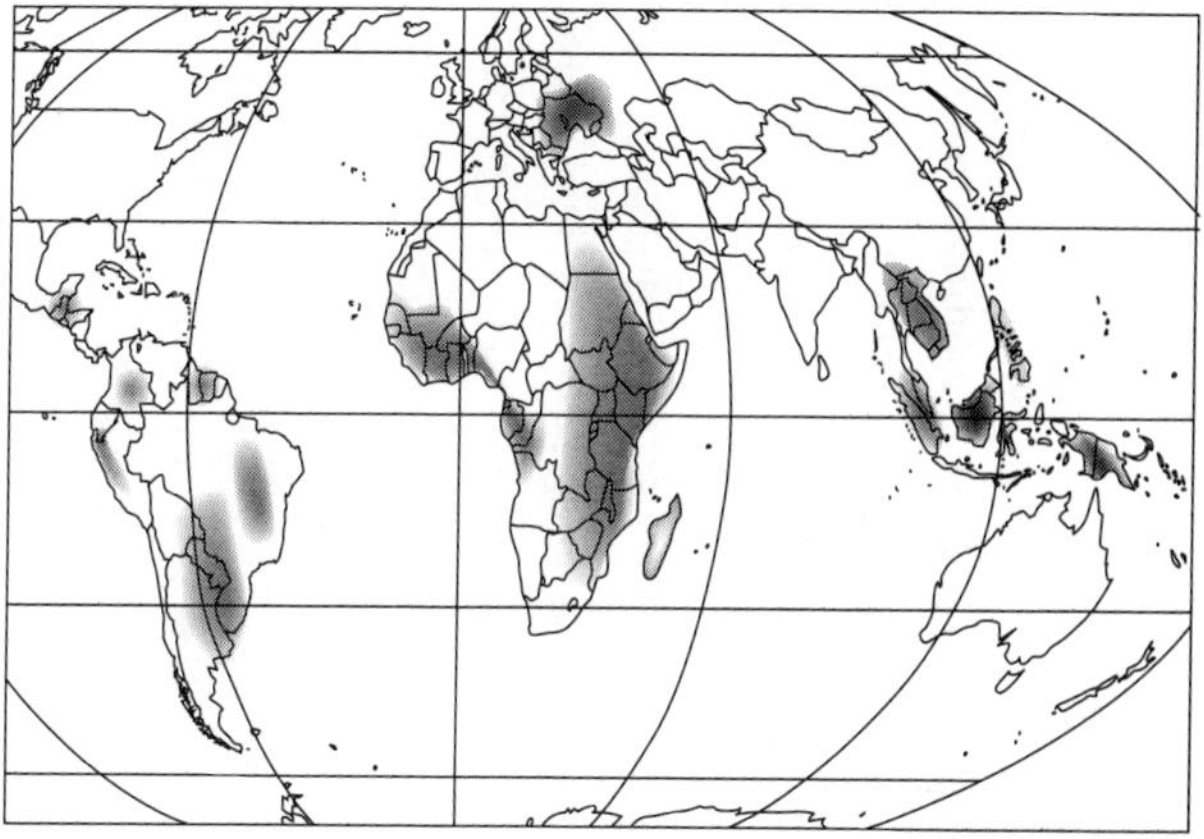

図6－2　土地取引の地理的分布（ヒートマップ）　出所：Land Matrix, *International Land Deals for Agriculture*, 2016. をもとに作成

で取引される目的はどこにあるのか。また投資プロジェクトが、アフリカで暮らす人々にどのように受け取られ、どのような影響をおよぼしているのか。以下では、具体的な事例を挙げながら、この問題について掘り下げてみたい。

3　アフリカの大規模土地取引の実態

†グローバルな推進主体

本節では、アフリカの大規模土地取引の実態を、それぞれ推進主体別に三つの事例を通して分析する。

事例①は、民間ベース（多国籍企業）によるアグリビジネス（農業とビジネスをかけあわせた言葉で、農業生産部門に資材供給部門、加工流通部門を加えた農業関連産業全体を意味する）モデルの展開事例である。民間企業にとっては、より大きな利益をあげるためには、より低いコストで生産することが最善の選択肢のひとつである。他国よりも安価な土地や労働力を手に入れることができれば、その分生産コストを抑えることにつながるからだ。また、食料・飼料作物を大規模生産して出荷できれば、「規模の経済」により大きな利益の実現が可能である。

具体例として、インドのカルトゥリ・グローバル社（Karuturi Global、以下カルトゥリ社と表記する）によるアフリカ進出事例について考えてみる。同社は、ケニアでの切り花産業への進出を試みた後、より有利な条件（安価な土地、労働力、投資環境）を享受できるエチオピアへと生産拠点を移転した。そこでの問題は、安易な政策や企業の利益に翻弄されて犠牲となるのが、その地域に残された農民たちであることだ。

事例②は、推進主体が民間ベースであるものの、開発金融機関（DFIs：Development Finance Institutions）による資金面での強力な後押しを受けて、大規模土地集積が推進されるケースである。

この事例ではシエラレオネの農地開発の事例をとりあげてみたい。シエラレオネではEUのバイオ燃料政策に連動して、サトウキビの生産が計画・実施された。二酸化酸素の排出量削減を迫られているヨーロッパ市場では、バイオ燃料による農産物需要が大幅に高まることが予想され、国際金融機関は、バイオ燃料向け農産物生産をおこなおうとする民間企業のプロジェクトへの巨額の資金提供を決定してきた。

そのためシエラレオネのプロジェクトは、当初、国際金融機関により模範的と評されていたが、その結果どのような事態が引き起こされたのかを検討してみたい。

最後の事例③は、推進主体が政府間ベースで展開される農業開発の事例として、日本、モザンビーク、ブラジルの三カ国間で展開されているモザンビークの農業開発事業「プロサバンナ」について考えてみたい。

この事例では、政府間あるいは国際的な開発構想が極めて重要な影響力をもっている。特定の民間企業が主体となって農地開発がおこなわれるのではなく、政府が投資環境やインフラ整備、技術支援などの総合的支援をおこなったうえで、民間企業による農業投資の促進を後押しする官民連携（PPP：Public-Private Partnership）モデルの典型的事例である。

だが日本の独立行政法人国際協力機構（ＪＩＣＡ）が主体となって推進されている「プロサバンナ」プログラムでは、計画段階からモザンビーク国内の農民連合や地元住民、日本のＮＧＯから開発のあり方に批判・反対する声があがっている。

本節では、以上の三つの事例をもとにアフリカでおこなわれている農業開発がどのような意味をもつのかを考えてみたい。

†事例①エチオピアのカルトゥリ社

最初にとりあげるのは、インド企業カルトゥリ社の農地開発の事例である。バラなどの切り花栽培を得意とするカルトゥリ社がアフリカ進出の足がかりをえたのが、ケニアとエチオピアであった。

ケニアでは、一九八〇年代後半以降、イギリスやオランダ資本による切り花産業が本格的に開始され、近年ではケニアの経済発展を支える成長産業と評価されてきた。ケニア産の低価格の切り花は、オランダなどのヨーロッパ諸国、中継基地のドバイを経由して日本などアジアへも空輸されてきたが、最近では、ケニアよりもさらに低コストで切り花や食料を生産できる国（土地）としてエチオピアが注目されるようになってきた。

†ケニアからエチオピアへ

カルトゥリ社は、バラの切り花栽培事業で急成長をつづけていた企業であった。同社は、二〇〇七年にケニアの切り花産業に注目して、すでに現地で操業していたオランダ資本の企業の経営権を買い取り、年間六億五〇〇〇万本ものバラの切り花を栽培する世界有数のアグリビジネス企業として知られるようになった。そのケニアの切り花産業とはいったいどのようなものか。エチオピアの話をする前に述べておこう。

ケニアの大農園に設置されたビニールハウスで栽培されたバラは、切り花として冷蔵保管された後、先進国に出荷される。その最大の出荷先は、ケニアの切り花輸出額の半分ものシェアを占めるオランダである。残りはその他のヨーロッパ各国（ドイツ、イギリス）やアジア（シンガポール、香港、日本等）、アメリカなどに出荷されている。ヨーロッパと比べると市場規模は小さいが、実は日本で輸入されているバラも、その半分近くがケニア産である。

ケニアは、一九八〇年代後半以降、世界有数の園芸作物栽培の中心地へと変貌していった。ケニアでの園芸作物栽培の中核を担ったのが、首都ナイロビの北西九〇キロほどに位置するナイバシャ湖畔周辺の地域であった。

ヨーロッパへの地理的アクセスも良く、安価で豊富な労働力が手に入るケニアは、多国籍企業にとってうってつけの条件を備えた地といえた。現在では、園芸作物の輸出は、ケニア経済にとって紅茶やコーヒーと並ぶ主要な輸出品目のひとつにまで成長し、ケニア政府にとって外貨の主要な獲得源となっている。

だが、カルトゥリ社によるケニアでのバラの切り花事業は、ケニアでの労働環境を把握しきれなかったために経営難に陥り、二〇一三年末に多額の債務をかかえて失敗に終わった。ビニールハウスは放置され、雇用されていた三〇〇〇人のケニア人労働者は突如解雇されたのだ。

しかし、それより前、世界的な食料価格の高騰がつづいた二〇〇九年に、事業の多角化に乗り出すカルトゥリ社は、ケニアの次のターゲットとして隣国エチオピアを選び、同国政府と土地取引契約を結んでいた。

二〇〇九年当時、ＦＡＯ事務局長補佐官であったディヴィッド・ハラム（David Hallam）は、ワシントンでおこなわれた国際会議にて次のように発言している。

想像してみて欲しい。もしエチオピアのような国で内戦や深刻な干魃《かんばつ》が発生すれば、深刻な食料不足に苦しむ人々が大量に発生することになるだろう。その傍らで、荷台が空っぽのトラックの一群が港湾ターミナルに集積して、飢えに苦しむ人々の生活する貧村地帯を走り回る。やがて、穀物を満載したトラックが出荷のためにターミナルに戻る。そのすべてが外国に住む人々の食料を確保するためだとしたら。……その結果、この国にどのような未来が待ち受けているのだろうか。

エチオピアでは、多国籍企業がいち早く「未耕作地」に目をつけ、巨大な土地取引を成立させていった。その主役を担ってきたのが、カルトゥリ社であった。

二〇〇九年にカルトゥリ社は、エチオピア政府と巨大な土地取引契約の締結に至ったわけだが、対象とされた地域は、南スーダンとの国境付近、同国西部のガンベラ州に広がる約三〇万ヘクタールもの広大な土地であった。驚くべきことに、東京都（約二二万ヘクタール）を優にうわまわる広さの土地が、インドの一企業にリースされたのである。

エチオピア政府とインド資本の一企業である同社との間で締結されたトウモロコシやパーム油生産用の土地リース契約による農地開発プロジェクトは、大きな反響を呼ぶこととなった。

翌年、ＮＨＫは「ランドラッシュ　世界農地争奪戦」（二〇一〇年二月一一日）を放映し、後日、その取材をまとめた書籍を発行している。同書では、カルトゥリ社の海外農業投資の実態を次のように描写している（ＮＨＫ食料危機取材班二〇一〇）。

カルトゥーリ社の農場の一部では鋭い日差しの下、実をつけたトウモロコシの収穫がすでに始まっていた。収穫用の機械はまだ導入を待っている段階らしく、すべてが手作業だった。

ラオ（インド人の現場責任者：引用者注）によると、この農場で働くエチオピア人は常勤がおよそ千五百人。そのほかに収穫の時期など人手が必要な時期は短期雇用を含めて最大五千人近くにのぼる。その中の多くは自分たちの土地をカルトゥーリ社に譲り渡した人々だった。それをインドから来た本社の社員二十六人がとりまとめるのだという。

結論から述べれば、カルトゥーリ社のエチオピアでの大規模農地プロジェクトも、失敗に終わった。二〇一三年頃には、賃金の不払い、劣悪な労働環境を理由に地域住民によるデモが発生するなど、事業が立ちゆかなくなっていき、開墾のために導入したトラクターも放置されるようになり、最終的に農園は閉鎖され、二〇一七年九月に同社は撤退を表明した。エチオピア政府の発表によれば、この間、カルトゥーリ社が実際に開墾した農地は、一二〇〇ヘクタールにすぎなかった。

三〇万ヘクタールという巨大な農地の開発は、一企業には手に余る規模であったのである。

†「狩り場」となるエチオピア

カルトゥリ社に限らず、当時のエチオピアでは外国資本による農業投資計画が次々と発表されていた。二〇〇〇年代後半には、エチオピアに投資意欲を示している多国籍企業の数は八〇社以上にのぼり、取得・リースの対象となった土地の総面積は約一八〇万ヘクタールにも及んだ。

たとえば、石油精製・貯蔵庫の建設事業で巨万の富を築いてきたサウジアラビア資本のサウジ・スター社（Saudi Star）は、カルトゥリ社とほぼ同時期にエチオピアの五〇万ヘクタールの農地でサトウキビ、油糧種子、メイズ等の輸出向け農作物の生産を開始すると発表していた。計画では、年間一〇〇万トン以上のコメを生産して、本国サウジアラビアに輸出し、エチオピア国内には、一部の劣等品（直径七ミリ以下のコメ）を販売する予定であった。サウジ・スター社の投資受入に際して、エチオピア政府は「公共サービスの改善」を理由にして、ガンベラ州で半遊牧生活を営む現地民（四万五〇〇〇世帯）、また将来的に農地開発の対象地域であるベニシャングル・グムズ州の九万世帯の強制移住を発表した。

カルトゥリ社がエチオピアへの投資計画を発表した頃、ケニアからエチオピアに事業の移転をはかる企業が続出した。ナイバシャで最大規模であったオランダのシェール・エージェンシー社（Sher Agencies）もエチオピアへの事業の移転を進め、ケニアでは五年間で二八の農園が閉鎖された。

東アフリカに位置するケニアやエチオピアで外国企業による農業向け投資が活発化する理由は、どこにあるのか。なかでもケニアの園芸作物栽培については、二〇〇八年に食料価格が高騰する以前から活発な投資がおこなわれていた。その最大のメリットは、これらの国の気候条件に加えて、ヨーロッパ市場へのアクセスが良いことにある。

世界最大規模の切り花卸売市場は、オランダにあるアールスメール花市場であり、エチオピアやケニアで栽培されたバラの約半分がオランダに出荷される。ヨーロッパへの直行便を利用することができれば、積み替えにかかる時間的ロスや、温度変化のリスクを最小限に抑えることができる。この点において、東アフリカに位置するエチオピアとケニアは、両国ともヨーロッパへの地理的アクセスに関して優位な条件を満たしている。

これに加えて、近年エチオピアへの農業投資が活発化した理由には、次のようなものもある。

第一に、エチオピア政府が打ちだしている税制上のインセンティブである。エチオピア政府は、農業部門に対して、原材料や輸入機材の免税措置、法人税の免税（最大九年）など、輸出志向型の外国企業に対する優遇措置を与えている。一般に外国投資誘致を政策目標に掲げる途上国各国の政府は、減税措置や安価（または無償）の土地リース、労働基準・環境基準の緩和など、外国投資に対する優遇措置を最優先する競争を加速化させているが、エチオピアもその一例と言える。

第二に、ヨーロッパ市場での優遇が挙げられる。EU市場では、二〇〇三年に発効したコトヌー協定に従って、後発開発途上国（LDC）が、EBA（Everything But Arms：武器以外の全品目）において、数量制限なしにEU域内へ物品を無関税で輸出することを認めている。エチオピアはこの後発開発途上国に分類され、ヨーロッパ市場への無関税アクセスが認められているのだ。その一方ケニアは、急速な経済成長をつづけてきた結果、非LDCグループに格上げされた。ヨーロッパ市場で少しでも安価な切り花を販売することで競い合う多国籍企業にとって、どちらの国で生産したほうが優位かは明らかであろう。

以上の条件に、エチオピアでの農業部門での生産コストの低さ（安価な土地、安い労働力）という決定的な要素が加わる。

たとえば、カルトゥリ社が支払っていたエチオピアでの土地のリース代は、一ヘクタールあたりわずか一・一八ドルであった。このタダ同然の価格でのリース契約が五〇年間にわたり保障されていたのだ。

リック・ローデンの報告『グローバルな農地収奪におけるインドの役割』によれば、インドのパンジャブ地方の土地一エーカー（四〇四七平方メートル）のリース料金は最低四万ルピー（日本円で九万九四〇〇円、一インド・ルピーを一・四二円で計算）であるが、アフリカでのリース価格は高くても一エーカー七〇〇ルピー（九九四円）にすぎない。ローデンは、このようにインドとアフリカで土地のリース料に約六〇倍もの開きがあることが、インド企業がアフリカへの農地取得に積極的な理由であると指摘している（Rowden, 2011）。

また、エチオピアの労働力の賃金水準の低さも際立っている。ケニアでの賃金は一日二ドル程度であるが、カルトゥーリ社が経営するパーム油の農地で働いているエチオピア人の賃金水準は一日七〇セントにまで低下する。エチオピアは、多国籍企業にとって、世界に残された数少ない「狩り場」のひとつとなっているのだ。

†事例②シエラレオネのアダックス社——標的となるポスト紛争国

次にあげる事例は、シエラレオネにおける農業投資プロジェクトである。第5章で触れたように、一九九〇年代のアフリカでは、多くの地域で熾烈な紛争が発生した。だが、二〇〇〇年代に入り、アフリカでの紛争は終息に向かい、徐々にではあるが治安が回復していった。コンゴ民主共和国やシエラレオネ、リベリア、スーダンといった国がそうである（ただし、二〇二〇年四月現在、コンゴ民主共和国の東部、南スーダンでは治安が悪化している）。

これらの諸国で採掘されるダイヤモンドなどの鉱物資源や石油資源が紛争の火種となっていたことは既述の通りであるが、かねてから、これらの国々では農業を営むうえで好適な土地が残されていると指摘されていた。

それらの国では、豊かな農業資源が確認されながらも、内戦や紛争の影響で民間投資は停滞をつづけていた。しかし、政治的な安定性が回復したシエラレオネのようなポスト紛争国では、農業部門が新たな投資先として急浮上していった。

†「バイオ燃料」という磁力

二〇一〇年、スイスに本拠をおくアダックス・アンド・オリックス・グループは、シエラレオネ政府と、北部州のボンバリ（Bombali）地区の農地開発契約の覚書を取り交わし、現地法人アダックス・バイオエネルギー社（Addax Bioenergy Sierra Leone Limited、以下、アダックス社と表記する）を設立した。賃借期間は五〇年間、最大五万四〇〇〇ヘクタールのリース契約である。

アダックス・グループは、すでにナイジェリアやカメルーン、コートジボワールなどの西アフリカ地域を中心に原油の輸出事業や製油事業を手掛けており、近年では、金の採掘事業やバイオ燃料の生産へと事業の多角化を図っている多国籍企業のひとつである。

アダックス・グループによる開発プロジェクトは、当初、シエラレオネの農業部門における過去最大の投資案件として有望視されていた。イギリス、オランダ、スウェーデン、ドイツ、ベルギー、スイスなど複数の開発金融機関（ＤＦＩｓ）が一億ユーロを超える協調融資に同意し、総額二億六七〇〇万ユーロ（日本円で約三一三億円、一ユーロを一一七・三九円で計算）もの投資プロジェクトが組成された。

開発金融機関から多額の資金供与を引きだすことに成功したのは、バイオ燃料作物を栽培しエタノールを輸入することで、ヨーロッパでの温室効果ガス削減に貢献する環境配慮型の農地開発プロジェクトであったからである。

同プロジェクトは、ＥＵが二〇〇九年に採択した「再生可能エネルギー指令」（RED 2009/28/EC）の趣旨とも合致するものとして取り組まれた。ＥＵは、同指令のなかで二〇二〇年までに輸送用燃料に混合するバイオ燃料など（再生可能エネルギー）の割合を一〇パーセント以上とする義務的目標を設定した。すなわち、今後、ＥＵ市場ではバイオ燃料の需要増が見込まれ、ヨーロッパ市場へのアクセスが良いシエラレオネがその供給地のひとつとして選ばれたのである。

アダックス社により提示された具体的な開発計画は次のとおりである。シエラレオネ政府によってリースされた土地を開墾して、サトウキビを栽培する。収穫したサトウキビは、年間九万立方メートルのエタノールに精製し、ヨーロッパ市場に輸出する。エタノール精製過程で生じるサトウキビの搾りかすは、コージェネレーション（熱電併給）システムによる電力供給に利用される。発電された三〇メガワットのうち一五メガワットを国内電力向けに供給する。

当初アダックス社が提示するこのような再生可能エネルギープロジェクトは、地域経済の収入拡大、農業訓練や雇用創出につながるものと謳われた。極めて社会的貢献度（持続可能性）が高いプロジェクトとして、国際社会から「理想的モデル」と評価されていたのである。

二〇一〇年二月、シエラレオネのコロマ（Ernest Bai Korama）大統領も、アダックス社による投資計画を歓迎して、次のように称賛している（Sierra Express Media, Feb. 11, 2010）。

アダックス社による農業投資は、シエラレオネの歴史上、最大の農業プロジェクトに位置付けられる。今後、数年間で数億ユーロの投資が実施され、本格的な運用時には約四〇〇〇人ものシエラレオネ人の雇用が確約されている。これは、わが国の農業部門において一企業がおこなうプロジェクトとしては最大の雇用先となるだろう。

さらに、農業の促進に加えて全国的な電力網の整備も計画されており、首都フリータウンと農村地域でエネルギー供給状況の大きな改善につながる。プロジェクトの対象地域に住む土地所有者が、国家の発展のために、自らの土地を放棄してくれたことに多大なる感謝の意を表明する。

しかし二〇一四年に、アダックス社が収穫したサトウキビを利用したエタノール精製が開始されると、その初期段階から多くの問題が発生した。同地でのサトウキビ収穫量が予想以上に低水準（現地の環境に適さないサトウキビ種を選択したため）であったことに加えて、実際には、EU市場におけるエタノール需要が伸び悩み、二〇一四年にはエタノール価格は一ガロンあたり二・五ドルから一・五ドルへと低迷していった。追い打ちをかけるように、二〇一四年にエボラ出血熱が西アフリカ一帯で大流行し、その影響はシエラレオネにも波及してしまった。そして最終的に、アダックス社のプロジェクトは停止に追い込まれることになった。

以上のような一連の事態を受けて、二〇一六年にアダックス社は同プロジェクトの中止を発表する。撤退の理由は、「フォース・マジュール」（不可抗力）、すなわち予測や制御が不能な外的事由であった。

二〇一六年九月、アダックス社は、保有する権益の大半（七五・一パーセント）を、イギリス資本のサンバード社（Sunbird Bioenergy Africa Limited）に売却している。すでにアフリカ一九カ国でバイオ燃料事業を展開するサンバード社は、二万三五〇〇ヘクタールの土地でサトウキビ栽培に加えて、シエラレオネの土壌や気候条件により適したナピアグラスやキャッサバの大規模栽培をおこない、バイオ燃料の精製事業を再開している。

†残されたのは荒地と住民

アダックス社の事例を住民の視点からみてみよう。地域住民にとってはおそらく初めて耳にしたであろうスイスの民間企業アダックス社が、シエラレオネ北部の農村地帯に進出して以降、六〇の村落に住む一万四〇〇〇もの人々がそのプロジェクトに翻弄され、そのうち多くの人々が生存基盤である土地を失った。

多くのアフリカ諸国でみられるように、村人たちが開墾する土地は、農村のコミュニティ単位で農地の利用が認められており、西欧近代法的な土地所有権（土地の権利証書の発行など）は明確でない場合が多い。地元の慣習や不文律、長老間の話し合いなどで土地の利用が既成事実として成立してきたのである。

対象となったボンバリ地区は、地域住民の九五パーセントが小規模な農業を営んでおり、雨季にはコメを栽培し、乾季にはサツマイモやキャッサバなどを収穫して自給自足生活を営んできた地域である。アダックス社は、プロジェクトの意義（電力開発や雇用などの社会インフラの整備）を地域住民に説明しながら、政府との土地リースの交渉をすすめ、土地を測量し、地図作成と登記を実施した。しかし先ほど述べたように、プロジェクトが失敗に終わり、アダックス社は撤退してしまった。その後、ボンバリ地区の農地はどうなったのか。

スウェーデンのNGOスウェドウォッチ（Swedwatch）が実施した現地調査による地域住民の声を二つ引用しておきたい（Swedwatch, 2017）。

> アダックス社の撤退で多くの村人たちが苦しむことになった。アダックス社は契約栽培者として村人たちを雇用していたが、撤退後の収入はゼロになった。現金を獲得する唯一の手段は、炭焼き業のみである。家族を養うためには、木炭を市場で売って現金を稼がねばならなくなったが、木炭をつくるための木々は、土地を開墾するために伐採されて、入手が困難になってしまった。

> アダックス社がやってくる前までは、村人の全員が小規模な農業に従事していた。

だが、アダックス社がやって来てからは、自給自足で食料を栽培することも、薪を拾い集めることもできなくなってしまった。アダックス社が、サトウキビ畑をつくるために、土地に生えていた木を伐採してしまったからだ。私たちがどのようにしたら生計を立て直すことができるというのか。

報告では、アダックス社が支払っていた賃金は、一日一万レオネ（日本円で約一一〇円、一レオネを〇・〇一一円で計算）に過ぎなかったことも指摘されている。

シエラレオネの大統領と開発金融機関が賞賛したプロジェクトは、わずか数年で失敗に終わった。サンバード社が計画の再開に名乗りをあげてはいるが、アダックス社が去ったあとにシエラレオネの農村に残されたのは、自らの生存基盤（食料の供給源）を失い、荒廃した土地を前に途方に暮れる数千の人々であった。この先にどのような開発計画があったとしても、この事実を変えることができるかは大きな疑問である。

†事例③モザンビークのプロサバンナ事業計画――日本政府が主導する「三角協力」

最後に、政府主導による大規模農地開発の事例として、日本政府・企業が計画しているモザンビークの農業開発プログラムについて考えてみたい。

二〇〇九年、日本政府はODAを原資とする「日本・ブラジル・モザンビーク三角協力による熱帯サバンナ農業開発プログラム」を発表した。通称プロサバンナ事業と呼ばれるこの大規模農業開発事業は、モザンビーク北部地域の三州一九郡にまたがる一一〇〇万ヘクタールにおよぶ広大なエリア（日本国土の約三割に相当）を対象としている。

ただし、二〇一五年にモザンビークの農業食料安全保障省が実施した調査結果によれば、一一〇〇万ヘクタールの土地のうち、実際に耕作可能な地域は二〇〇万〜二五〇万ヘクタールと推測されている。いずれにせよ、日本政府はアフリカでの農地開発の重点地域をモザンビークに定め、インフラ整備や工業団地、さらには農地開発に乗りだそうとしている。

†プロサバンナ事業計画とは

日本政府が描く壮大な計画は、図6－3に示されるように、「ナカラ回廊地域開発」と呼称されている。これは北部の貿易拠点であるナカラ港の重点整備と、そこから東西を横断し、隣国マラウイへと伸びる全長約七〇〇キロメートルの国際鉄道・国際道路でつながれるインフラ整備を重点的に実施する計画だ。

ナカラ回廊と接続する北西部テテ州では、製鉄用の良質な石炭が採掘されているため、そのための輸送経路としても活用ができる。また近年、モザンビーク北部の沖合では巨大

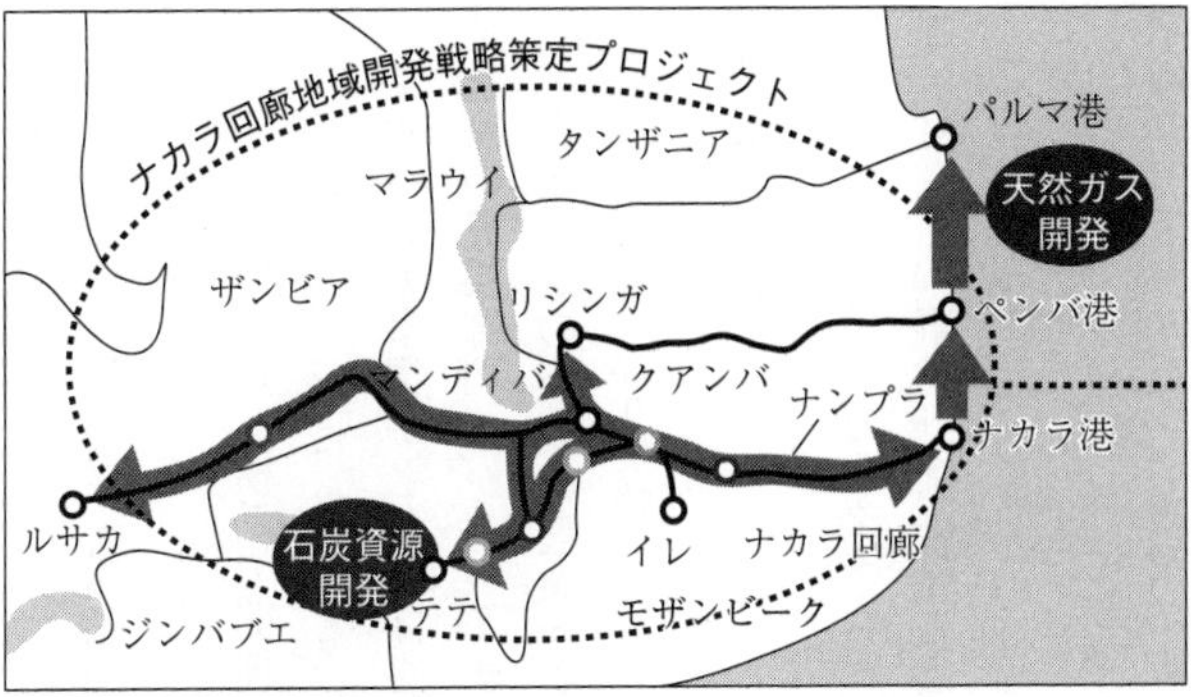

図6－3　ナカラ回廊地域開発予想図　出所：JICAの資料を参照にして作成

な天然ガス田も確認されており、将来はアフリカ有数の天然ガス産出国に変貌することも有望視されている。

このような状況のなかで、ナカラ回廊周辺地域の土地が注目されることになった。プロサバンナ事業は、ナカラ回廊の周辺地域の「使われていない広大な大地」を、二〇三〇年までに大豆一四〇〇万トン、トウモロコシ一四〇〇万トンを生産する一大農業地帯へと変貌させるというものだ。

正式名称にもある通り、プロサバンナ事業は、日本政府、モザンビーク政府に加え、ブラジル政府が参画する「三角協力」で推進された。日本は一九七〇年代に「不毛の地」と呼ばれていたブラジル中央部の熱帯サバンナ地帯（セラード）での大規模な農地開発支援を進め、大豆、綿、コーヒーに代表される大規模農業をおこなってきた。

日本政府は、同じポルトガル語を公用語とし、対象地域の緯度がほぼ同じ（南緯一三度から一七度間）に位置するため、「気候条件が似ている」として、このブラジルでの経験を活かしモザンビークでの農業開発に取り組む計画を発表したのである。

二〇一三年六月に横浜で開催された第五回アフリカ開発会議（TICAD V）（テーマは「援助から投資へ」）においても、官民連携（PPP）を推進する象徴的な案件として、このプロサバンナ事業がとりあげられた。TICAD Vで採択された横浜行動計画では、アフリカの農業部門のバリューチェーン（価値連鎖）を構築して「市場志向型農業の普及」と「自給自足の小規模農業から商業的農業経営への移行」が宣言された（TICAD V「横浜行動計画」より抜粋）。

†「悲しみの開発」

しかし一一〇〇万ヘクタールという、日本政府が提起するあまりにも広大な農地開発計画に対して、事業計画の発表当初から国内外のNGOやモザンビークの農民連合から、「ランドグラブ」であるとの批判や抗議の声が上がっているのも事実である。

モザンビークでは、人口の八割が農業に従事しており、そのほとんどが自給自足の農家である。プロサバンナ事業が実施されることで影響を受ける農民は、四〇〇万人を超えるという推計もある。加えて、これらの地域で予定されているのは、大豆やトウモロコシなどの輸出向け作物の生産であり、モザンビークの地域住民の国内需要に合致しないことが、地域住民の不安をあおっている。

たとえばモザンビークの全国農民連合（UNAC）の「プロサバンナに関する声明」（二〇一二年一〇月）では、優先されるべきは、「国内消費のための家族経営主体の小農部門の食料生産であるべきであり、社会の多様な分野を包摂し、内発的な潜在性を発展させることを試みるべきである」としている。

以上のような地域住民の不安や農民連合からの批判を受けて、日本政府は従来の官民連携から、近年では新たに小農支援を含めた官・民・住民のパートナーシップ（PPPP：Public-Private-Population-Partnership）を農業開発の基本理念に取り入れて、現地住民との合意形成を図る努力をつづけている。外務省も、二〇一三年以降、NGOとの意見交換会を複数回にわたって開催し、現地小農組織や市民社会との合意形成を図ろうとしている。

しかし依然として、大規模開発がもたらす現地住民への負の影響の懸念がぬぐい切れていないのが現実である。日本国際ボランティアセンター（JVC）の渡辺直子氏によれば、モザンビークの農民連合の代表者が訪日時（二〇一八年一一月）に次のように発言したという。

土地は命。外から来たものに頼って暮らしたいとはこれっぽっちも思っていない。私たちにとって大事なのは、自分たちの土地を大切に使い、自分たちの足で立ち、それを次の世代に手渡していくこと。日本の農民たちも自分たちの土地をどう守り伝えていくかの大切さを話していた。世界どこでも農民たちの思いは同じだと思う。（中略）いまモザンビーク北部でおきていることは、「悲しみの開発」です。あるいはそれは「犠牲をともなう開発」ともいえるでしょう。私たちにそんな開発は必要ありません。私たちが欲しているのは「幸せになるための発展」なのです。

4 「底辺への競争」はなぜ止まらないのか

†「開発の遅れた」地域の近代化

現地住民の抵抗にあいながら、次々と撤退や中止に追い込まれる大規模農地開発計画の実情をみてきた。結局、「ランドグラブ」と表象される現象で問題となっているのは、「開発」とは何かという、開発経済学の根源的なテーマなのではないだろうか。

途上国の農業投資を促進するうえで国際金融機関が最大の論拠としているのが、「開発の遅れた」地域の近代化である。

これは次のように説明される。多国籍企業が導入する近代的農法は、投資受入国（および生産者）での農業生産性の改善や農業加工産業の発展が見込まれるとともに、技術移転やインフラ整備（灌漑、輸送、電化等）、雇用創出などのメリットが謳われる。一方で、途上国の農村での自給自足農業は、生産性が低いうえに、途上国では「有効に使われていない土地」（未耕作地）が多く残されている。

この発展途上諸国に有り余るほど残っているとされる「未耕作地」を活用することで、途上国政府は経済成長を実現できる。投資家サイドにとっても、受入国サイドにとっても「ウィン・ウィンの関係」を築ける。途上国への農業投資は、投資側も受入側もメリットがあるという論理である。

繰り返しとなるが、問題は、外部からの評価である「未耕作地」と、現地の小農にとっての土地の見解が大きく異なっている点である。

アフリカでは、外部から「未耕作地」とみなされる土地で、膨大な数の農民が生計を立てているのである。そして農民たちは農業に従事するだけでなく、同時に狩猟・採集（薪・木炭の生産）や遊牧（家畜牛の放牧など）をしながら暮らしている。また移動耕作による休閑地も、彼らにとって重要な生計基盤の一部をなしている。

このような土地で大規模農地開発を進めると、どのようなことになるのか。たとえば、エチオピアにおける農民の平均的な作地面積は二ヘクタールである。仮に政府の決定により、外国人投資家に農民も住む三〇万ヘクタールの土地がリースされたとすると、そこには一五万人以上もの農民がもともと暮らしていたことになる。これは一五万人もの人々が土地を追われることを意味する。しかし多国籍企業が必要とする農業労働者は、多くて一万人程度である。このことを考えると、農地開発によって実現される雇用創出の効果は、あまりにも少ないと言わざるをえない。

農業の近代化や雇用創出という掛け声のもと、外国の政府や民間企業の利益のために、雇用される数の何十倍もの人々が土地を追われるのならば、その代償は大きすぎるのではないだろうか。

†「ニュー・アライアンス」によって囲い込まれるアフリカ諸国

以上のような「開発」の論理は、国際会議の場でも繰り広げられている。投資受入対象国は、特定の政府、企業だけでなく、国際的な枠組みのもとで全方位的に囲い込まれていっているのである。

食料価格の高騰がつづいていた当時、国際会議の場で途上国への農業開発が本格的に議論されたのが、二〇〇九年七月に実施されたG8ラクイラサミット（開催国イタリア）であった。同サミットで表明されたイニシアティブ（ラクイラ食料安全保障イニシアティブ）では、二〇〇九～一二年にかけて二〇〇億ドルの農業支援をおこなうことが採択された。

このイニシアティブは、二〇一二年五月に開催されたG8サミットの「食料と栄養の安全保障に関する新たな連携」（NAFSN、以下「ニュー・アライアンス」と表記）の合意へと発展する。「ニュー・アライアンス」には、先進国に加えて、アフリカ連合（AU）、NEPAD（アフリカ開発のための新パートナーシップ）、一五〇以上の民間部門（多くは多国籍企業）が賛同している。ニュー・アライアンスの枠組みのもと、アフリカではまず六カ国（エチオピア、ブルキナファソ、コートジボワール、ガーナ、モザンビーク、タンザニア）、さらに二〇一三年六月に四カ国（ベナン、ナイジェリア、マラウイ、セネガル）が、パートナー国として選出された。

その目標は、国際的な支援のもとで途上国における民間主導型農業開発をおこない、農業生産性の改善とアグリフード部門を発展させることで、「アフリカの農業を民間セクターに市場開放し、二〇二二年までに五〇〇〇万人の貧しい人たちを救いだす」こととしている。

しかし「ニュー・アライアンス」が合意されてから四年後の二〇一六年六月、EUの欧州議会は、同イニシアティブによる土地所有自由化、遺伝子組換え作物（GMO）の持ち込み等が、現地の零細農家をますます苦境に陥らせていると公式に非難する声明をだし、二〇一八年二月九日には、フランスが「ニュー・アライアンス」からの脱退を表明した。

「ニュー・アライアンス」合意の翌年には、世界銀行による「アグリビジネス可能化」（EBA：Enabling the Business of Agriculture）と呼ばれる開発イニシアティブも開始された。EBAでは、六二カ国の農業部門のビジネス環境について、一二分野（種子品種登録や肥料使用に対する規制、生産体制、流通体制、輸出条件等）にわたって、規制や法整備の状況を指数化している。そのスコアが低い国に対しては、世界銀行から規制緩和の勧告がおこなわれることになる。

さらに、二〇一七年のEBA報告では、新たに「土地指標」が導入された。土地指標では、所有権の確立、測量実施の有無、国有地の管理状況などがスコアに反映される。この指標に従えば、ほとんどのアフリカ諸国が平均以下の水準に位置することになる（図6-4）。世界銀行によれば、土地指標のスコアが低いということは、その国には「未利用」「低利用」の土地が多く存在するということになり、将来的には「潜在的な経済価値」が高いということでもある。

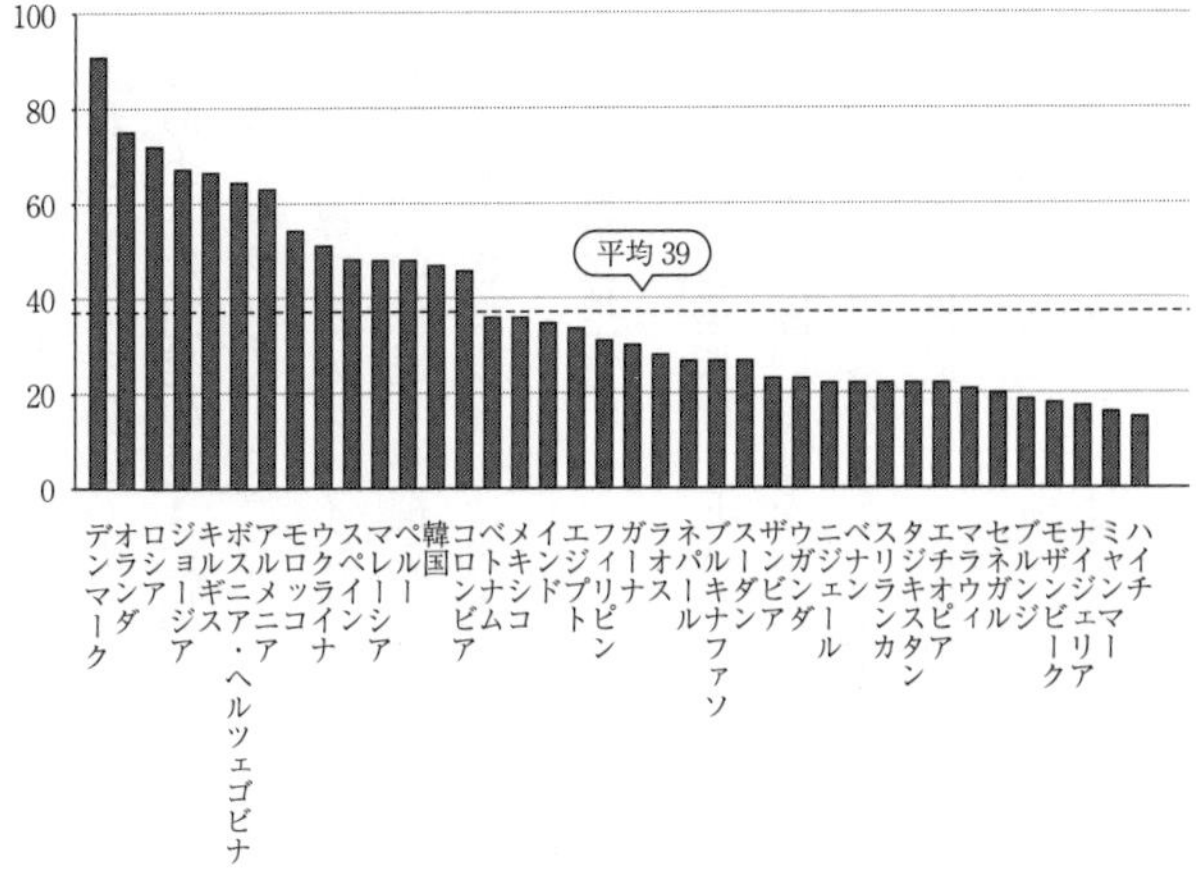

図6－4　世界銀行のEBAにおける各国ごとの土地スコア　出所：World Bank, *Enabling the Business of Agriculture 2017*, 2017.

そして、ＥＢＡ報告では、土地制度の未整備は、貧困と大きな関連があると指摘される。アフリカで貧困がなくならない最大の要因は、土地制度に対する政府の脆弱なガバナンスにある。すなわちアフリカ諸国の政府は、肥沃で広大な土地を未利用のまま放置しており、貧困削減に結びつけることができずにいる。そうであるならば、このような土地を公平な入札プロセスを通じて民営化・商業化させることが、「未利用」の土地を「最善の方法」(best use) で活用することにつながる、というのである。

世界銀行やＧ８の提示するこうした論理は、世界経済フォーラム（ＷＥＦ）、ＮＥＰＡＤなどでも共有され、国際金融機関の要請のもとで、アフリカ諸国の政府の間には、「開発の遅れた」地域を近代化するために、農業部門への外国直接投資を積極的に受け入れようとする動きが広まっていった。

このような開発の動きが加速すれば、将来的にアフリカの農地は多国籍企業が管理する大農園(プランテーション)で埋め尽くされることになるだろう。そして、農業生産のすべてを主導するアグロインダストリーの世界的な商品連鎖に、自給自足農法を営むアフリカの農村部の住民らが編入・再編され、彼らが生き残る術は、低賃金労働者として多国籍企業に雇用されるほかに残されていないことになるだろう(池上二〇一三)。

†現代版「新植民地主義」

国連食糧農業機関(FAO)の事務局長ジャック・ディウフ(Jacques Diouf)は、「自国の食料安全保障の課題を解決するために食料輸入国が海外で農地を確保しようとする動きは、「新植民地主義」を生み出すリスクを抱えている」と警告している。

ディウフが指摘する「新植民地主義」という言葉は、もともとアフリカ諸国が旧宗主国から政治的独立を果たしながらも、旧宗主国が経済的実権を手放さないまま、従来の支配・従属関係を維持しようとする、植民地主義の新しい形態を指していた。具体的に言えば、植民地期に形成されたプランテーションでの換金作物(コーヒー、紅茶、綿花、カカオ、落花生など）の生産を主軸とするモノカルチャー経済が、独立後も植民地政策の負の遺産として残り、アフリカ諸国の経済構造として固定化されてきたことがまず挙げられる。たとえばアルジェリアでは石油・天然ガスが発見される以前は、フランス人が消費するワイン（アルジェリア人は飲酒をさけるイスラーム教徒であるためワインを飲まない）を醸造するためのブドウ生産に特化し、ケニアでは最も肥沃な土地がイギリス人向けのお茶を生産する大農園に使用されてきた。セネガルは、宗主国の工業油、食用油を供給するために落花生《らっかせい》の一大生産地となり、現在でもそれは主要な輸出産品のひとつである。

これらの農産物は国内消費されることがほとんどなく、輸出を通じて稼いだ外貨は、国民が必要とする製品を輸入するための資金として機能しつづけている。植民地独立後、半世紀以上を経過した現在でも、多くのアフリカ諸国では、農業の多様化と増産は進んでいない。そして、しばしば植民地期に形成された旧宗主国との貿易関係が維持され、その垂直的経済関係から脱却できずにいるのだ。

二〇〇〇年代後半から開始されたランドラッシュ（農地開発）は、当初、このモノカルチャー経済構造からの脱却、多様化と持続的な農業発展を目指すものとして期待されていた。

だが実際には、それはバイオ燃料向け農作物（サトウキビ、ジャトロファ）や輸出用食料及び飼料用穀物（大豆、コメ等）という（従来とは別の）コモディティ（換金作物）生産への構造転換をはかるものであり、世界的に展開する多国籍企業の垂直分業への統合過程の強化につながっていた。

ジャック・ディウフが指摘するように、今世紀のアフリカにおける大規模農業生産は、植民地期からつづいてきたプランテーションでの換金作物生産とは作目が異なる。しかしケニアやエチオピアでのバラやメイズ、シエラレオネでのサトウキビ、モザンビークでの大豆などは、自国民ではない、他国の誰かのための商品や食料生産であった。これは、構造的には従来のモノカルチャー経済構造と、何ら相違がないのではなかろうか。

†「貧困の罠」という罠

たとえば、アフリカにおける典型的な農業国について次のように描写してみよう。

その国の住民の七割以上が農村部に暮らし、労働人口の八割が小規模な自給自足農業を営んでいる。また残念ながらこの国は、石油や天然ガス、鉱物などの地下資源に恵まれた国ではない。

一日一・九ドル以下で暮らす絶対的貧困者数は人口の六割にも達する。国際社会からすれば、持続可能な開発目標（ＳＤＧｓ）の目標達成基準の足を引っ張る典型的な後発開発途上国（ＬＤＣ）である。国連開発計画（ＵＮＤＰ）の人間開発指数（ＨＤＩ）でも、世界最下位に近い位置にランキングされる。

だが、その国には広大な農耕可能地が残されており、雨量にも十分恵まれている。外側からみている私たちは、「なぜ、この国が発展しないのか？」という疑問に対して、次のような答えが思い浮かぶかもしれない。「農業国に暮らす人々が慢性的な貧困に苦しんでいる理由は、非効率な政府が、多くの土地を未開発のまま放置してきたからである」。世銀をはじめとする、国連のミレニアム・プロジェクトに大きな指導力を発揮してきた経済学者ジェフリー・サックス（Jeffrey D. Sachs）は、貧困メカニズムからの脱却について次のように指摘している（サックス二〇〇六）。

最も基本的なレベルで、極度の貧困をなくすための鍵は、最も貧しい人びとが開発の梯子のいちばん下の段に足をかけられるようにすることである。開発の梯子《はしご》が高いところにあって手が届かなければ、貧しい人びとはずっとその下にいるしかない。足場をしっかりしたものにするための最小限の資金さえないからだ。したがって、いちばん下の段までは手を貸し、押し上げてやる必要がある。

ジェフリー・サックスが指摘するのは、「貧困国」というレッテルを貼られた国が、「貧困の罠」から逃れるためには、外国投資(または対外援助)の増大による持続可能な開発という「外部からの梯子」が必要であり、それが経済発展につながる、ということだ。

しかし現実には、多国籍企業の農地開発は、発展途上諸国が陥っている悪循環――「貧困の罠」(poverty trap)――から脱けだせる梯子をかけるどころか、農村地帯の住民たちから自活手段を奪い、彼らを他の地域に強制移住させている。

「ニュー・アライアンス」が掲げる「アフリカの農業を民間セクターに市場開放し、二〇二二年までに五〇〇〇万人の貧しい人たちを救いだす」という目標は、途上国が「貧困の罠」から脱けだすための戦略として打ち立てられた。だが、その戦略が、新たな貧困を生みだしてしまうならば、「貧困の罠」を脱けだすための戦略自体が罠ということになる。現地住民の生活向上につながらない農地開発戦略は、「「貧困の罠」からの脱出という名のもとの罠」という真逆のプロセスと言える。

「ランドグラブ」という言葉は、農業開発による市場化プロセスによってアフリカの大地を多国籍企業が獲物(ゲーム)を狩る「狩り場」へと変貌させるべきではない、という警告を含んでいる。「開発の遅れた」地域の近代化というロジックで囲い込まれた途上国政府は、外国投資を最優先するために「底辺への競争」(ここでは、優遇減税措置や無償リース、労働基準・環境基準の緩和を最優先する競争として使用する）を加速化させている。

グローバルなアグリビジネスを展開する国際資本を前にして、アフリカの農村から発される悲痛な声は、圧殺されつづけるしかないのであろうか。

おわりに

少し引用が長くなるが、まず、ひとつの寓話を紹介したい。

ある昼下がりのキンシャサ（コンゴ民主共和国の首都）、一匹のサソリがクロコダイルに言った。

「目の前のコンゴ川を越えて、対岸のブラザビル（コンゴ共和国の首都）に行きたいのだけれど、自分は泳げない。君は泳ぎが得意だから、僕を乗せて向こう岸まで連れていってくれないか」

クロコダイルは訝《いぶか》しげに尋ねた。

「君を乗せていったら、途中で僕を刺す気じゃないのかい」

サソリは答えた。

「何を馬鹿なことを言っているんだ。もし君を刺してしまったら、僕も溺れて死んでしまうじゃないか」

クロコダイルはしばらく考えてから、サソリを背中に乗せることを承諾して、対岸のブラザビルを目指し泳ぎ始めた。

だが、川のなかばに差しかかったころ、クロコダイルは強い痛みを首元に感じた。

サソリが、クロコダイルを刺してしまったのだ。

激痛が走り、朦朧とした意識のなかでクロコダイルはサソリに訊いた。

「なぜ、刺したんだ？」

サソリはクロコダイルに囁くように言った。

「仕方のないことだ。ここはコンゴだからね。理解しようとしても無駄なんだ」


これは、アフリカ政治研究者のテオドール・トレフォン（Theodore Trefon）が自著で紹介している「クロコダイルとサソリ」という寓話である（Trefon, 2011）。この寓話にはクロコダイルがカエルやカメなどに変わるなど、いくつかの異なるバージョンがあるが、あらすじはどれも同じである。トレフォンもコンゴ民主共和国を舞台にアレンジして、この寓話を紹介している。

トレフォンによるこの寓話の解釈は次のようなものだ。毒をもったサソリはアフリカの指導者、サソリの言葉を信じてコンゴ川を泳いで渡ろうとするクロコダイルはアフリカの民衆をあらわす。クロコダイル（民衆）は、サソリ（指導者）の抑えきれなかった自己破壊衝動の犠牲となり、深い川の底に沈んでいってしまう。

本書でも示してきたように、独立後のザイール（現コンゴ民主共和国）で、三〇年以上にもわたり自らの国の資源を収奪しつづけてきたモブツ大統領は、この国を自滅に導いたサソリであったかもしれない。またモブツの退陣後、コンゴ東部では相変わらず紛争状態がつづいており一向に終息する気配をみせず、この国の為政者たちは、依然としてサソリのままであるようにみえる。トレフォンは、このような社会を、「喰殺《しょくさつ》社会」（social cannibalism：社会が自らを餌食にしてしまう社会）と名付けている。

だが、この寓話には、もうひとつの解釈がある。サソリは外国の援助機関、国際開発機関、クロコダイルはアフリカ諸国をあらわす、というものだ。

サソリはコンゴ川の対岸にたどり着くために、クロコダイルに泳いでいって欲しいと言葉巧みに誘いだす。クロコダイルはサソリを乗せて泳ぎだすが、ついに目的地にはたどり着かず、サソリの毒がまわって沈んでしまう。

すなわち、外国の援助機関（サソリ）が提示する「開発」や「近代化」という目的に向かって、アフリカ諸国（クロコダイル）は泳ぎ始める。だが、いつまで経っても目的地にはたどり着くことができない。ついにはサソリの毒がまわり、川底に沈んでいってしまう。

本書を執筆するにいたって念頭にあったのは、アフリカにとって、この「毒」となってしまっているものは何か、ということである。

いわゆる「開発」や「近代化」の掛け声とともに、アフリカの外側の世界からもたらされた大量の資金や高度な技術は、本当にアフリカに繁栄や希望をもたらすことになるのだろうか。そのような資金は、かえって、受け入れ国政府の利権の不透明な分配をまねき、その国に住む人々の間に格差感を植えつけてしまっているのではないか。

また貧困の撲滅を掲げて、外国投資の誘致の必要性を各国政府は国民に説き続ける。途方もない額の開発計画が次々と発表され、明るい未来が約束される。しかし、近代的な工場や資源の採掘施設がどれほど建設されようとも、自分たちの暮らし向きは一向に変わらない。

やがて民衆は次のような疑問を抱きはじめる。政府が開発を通じて得た収益は、いったいどこに消えてしまったのだろうか。政府や外国の援助機関の言う「約束された地」には、いつになったらたどり着くのだろうか。このような無力感や絶望感が、民衆の間で蔓延していく。

マダガスカルでの政治的混乱とクーデタ、アルジェリアでのイスラーム急進派による凄惨なテロやサヘルの不安定化、コンゴ民主共和国でつづく金やダイヤモンドの採掘をめぐる殺し合い、そして、何万人もの小農の生死に影響を与える大規模な農地開発の現状……、本書では、アフリカの貧困や政治的混乱、紛争が日本をはじめとする先進諸国とどのような関わりがあるのかに注目してきた。

また、「開発」のあり方が（意図的ではなかったとしても）アフリカにとって「毒」として作用してしまっているとしたら、それはどのようなメカニズムであるのかを考えてきた。アフリカの貧困や紛争、政治的不安定性をアフリカの「病」として我々が指摘するのであれば、同時に、我々自身もまた、それらの「病」を生みだす原因をつくりだしてしまっている。そんな視点をもつ必要があるのではないだろうか。


最後に本書を執筆するに際して、数多くの方々からご協力をいただいた。ここに記して感謝の意を表しておきたい。

筆者の学部時代からの指導教授であり、研究の道に導いてくださった福田邦夫先生には深い感謝の意を表しておきたい。また、様々な研究会やアフリカへのフィールドワークで何度もご一緒させていただいた私市正年先生にもお礼を申し上げたい。本書の執筆に際しても、お二人から貴重なコメントをいただいた。

日本国際ボランティアセンター（JVC）の渡辺直子さん、池上甲一先生、妹尾裕彦先生からは、関連する章に貴重なコメントをいただいた。改めてお礼を申し上げたい。

マダガスカルの長年の友人であるラミアリソン・ヘリンザトゥブ・エメ先生（アンタナ

ナリボ大学教授）にもお礼を述べておきたい。二十数年前、マダガスカルからの留学生であった彼と同じ研究室に在籍していた。共同研究室で机を並べ、アフリカについて議論を重ねた日々がなければ、アフリカ研究を志すこともなかったであろう。マダガスカルでの現地調査でも何度もお世話になった。ありがとう。

その他、すべてのお名前を挙げることはできないが、学会や研究会等でご縁があった方々からも多くの知見を得ている。この場を借りて感謝申し上げたい。

二〇一九年四月からの一年間、勤務校である千葉商科大学の在外研究員制度を利用して、アメリカのカリフォルニア大学アーヴァイン校（ＵＣＩ）で研究生活を過ごすことができた。長期不在の間は、人間社会学部の教職員の皆様にご協力とご理解をいただいた。この場をお借りして、改めてお礼を述べておきたい。

滞在中に、ＵＣＩのスティーブン・トピック先生、ポモナ大学のピエール・イングルバート先生、チャップマン大学のトム・ツェルナー先生たちと議論を交わすことができた。アメリカ社会に精通するケリー・木村さんにも大変にお世話になった。すべての議論や論点を本書に反映できたわけではないが、今後の研究課題として活かしていきたいと思っている。

遅々として進まない著者のペースに辛抱強くお付き合いいただき、丁寧な原稿チェックと熱の入ったコメントをいただいた編集部の河内卓さんにも心からお礼を申し上げたい。そして、なにより長期にわたる執筆作業には家族の深い理解と協力も不可欠であった。感謝している。

二〇二〇年三月　カリフォルニア州アーヴァインにて

吉田　敦

主要参考文献

はじめに

McKinsey & Company, *Lions on the move: The progress and potential of African economies*, 2010.

Unilever Institute of Strategic Marketing, *Black Diamond on the Move*, University of Cape Town, June 2007.

第1章

Collier, P., Hoeffler, A., "Greed and Grievance in Civil War", *Oxford Economic Papers*, 56, 2004.

Fearon, J.D., "Why do some civil wars last so much longer than others?", *Journal of Peace Research*, 41 (3), 2004.

IBRD/World Bank, *The MDGs after the Crisis: Global Monitoring Report 2010*, 2010.

Keen, D., "Incentives and Disincentives for Violence", in Berdal, M., Malone, D., eds., *Greed and Grievance: Economic Agendas in Civil Wars*, Boulder, CO: Lynne Rienner Publishers, 2000.

Le Billon, P., "The political ecology of war: natural resources and armed conflicts", *Political Geography*, 20, Oxford University Press, 2001.

Renner, M., "Breaking the Link Between Resources and Repression", in Flavin, C., et al., eds., *State of the World 2002–03*, Worldwatch Institute, 2002.（ワールドウォッチ研究所『地球白書2002-03』家の光協会、2002年）

U.K. Cabinet Office, Prime Minister's Strategy Unit, *Investing in Prevention: An International Strategy to Manage Risks of Instability and Improve Crisis Response*, 2005.

United Nations High Commissioner for Refugees (UNHCR),

Global Trends: Forced Displacement in 2017, 2018.
United Nations Economic Commission for Africa, *MDG Report 2015: Assessing Progress in Africa toward the Millennium Development Goals*, 2015.
World Bank, *World Development Report 2011: Conflict, Security, and Development*, The World Bank, 2011.（世界銀行『世界開発報告2011　紛争，安全保障と開発』田村勝省訳、一灯舎、2012年）
Zartman, I. William, ed., *Collapsed States : The Disintegration and Restoration of Legitimate Authority*, Boulder, CO: Lynne Rienner Publishers, 1995.
イースタリー、ウィリアム『エコノミスト　南の貧困と闘う』小浜裕久他訳、東洋経済新報社、2003年
カルドー、メアリー『新戦争論　グローバル時代の組織的暴力』山本武彦・渡部正樹訳、岩波書店、2003年
ガルトゥング、ヨハン『構造的暴力と平和』高柳先男・塩屋保・酒井由美子訳、中央大学出版部、1991年
クラウゼヴィッツ『戦争論　上』清水多吉訳、中公文庫、2001年
ザックス、ヴォルフガング編／イリッチ、イヴァン他著『脱「開発」の時代――現代社会を解読するキイワード辞典』三浦清隆他訳、晶文社、1996年
妹尾裕彦「破綻国家 /脆弱国家の状況から照射する世界秩序とガバナンス　開発研究の視角から」日本平和学会編『世界で最も貧しくあるということ』平和研究第37号、早稲田大学出版部、2011年
武内進一「紛争と国家」稲田十一編『開発と平和　脆弱国家支援論』有斐閣ブックス、2009年
ポッゲ、トマス『なぜ遠くの貧しい人への義務があるのか――世界的貧困と人権』立岩真也監訳、生活書院、2010年
吉田敦「「底辺への競争」が加速化するアフリカ経済：多国籍企

業による大規模農地開発の含意」『情況』2012年3・4月号
吉田敦「多発する紛争と資源収奪」中村都編著『国際関係論へのファーストステップ』法律文化社、2011年
吉田敦「発展途上国における貿易・投資構造と国際市場――「未開拓地」としてのアフリカ経済」『アジア・アフリカ研究』第52巻第3号、アジア・アフリカ研究所、2012年
ラミス、C・ダグラス『経済成長がなければ私たちは豊かになれないのだろうか』平凡社ライブラリー、2004年

第2章

Alexander, Y., "Terrorism in North Africa and the Sahel in 2015", *Seventh Annual Report*, March 2016, ILI.
Aronson, S.L., "AQIM's Threat to Western Interests in the Sahel", *CTC Sentinel*, Vol 7, Issue 4, April 2014.
Bøås, M., "Guns, Money and Prayers: AQIM's Blueprint for Securing Control of Northern Mali", *CTC Sentinel*, Vol.7, Issue 4, April 2014.
Chauzal, G., and van Damme, T., "The roots of Mali's conflict: Moving beyond the 2012 crisis", *CRU report*, Netherlands Institute of International Relations, Clingendael, March 2015.
Daniel, S., *Les Mafias du Mali: Trafics et terrorisme au Sahel*, Descartes & Cie, 2014.
Ellis, S., "West Africa's International Drug Trade", *African Affairs*, 108 (431), 2009.（「西アフリカの国際ドラッグ取引」落合雄彦編著『アフリカ・ドラッグ考――交錯する生産・取引・乱用・文化・統制』晃洋書房、2014年）
Englebert, P., *Africa: Unity, Sovereignty & sorrow*, Lynne Rienner Publishers, 2009.
FAO, *The Sahel Crisis, Mali conflict: Contingency and Reponse Plan*, 2013.

Le Roux, P., *Confronting Central Mali's Extremist Threat*, Africa Center for Strategic Studies, February 22, 2019.
Pellerin, M., "Narcoterrorism: Beyond the Myth", in Barrios, C., Koepf, T., *Re-Mapping the Sahel: Transnational Security Challenges and International Responses*, ISSUE, no.19, June 2014.
Schanzer, J., "Algeria's GSPC and America's 'War on Terror'", *Policy Watch*, Washington Institute for Near East Policy, October 2002.
Sellassie, H.G., "Strengthening state ownership of strategies and initiatives and co-ordinating international support for stability in the Sahel", *An Atlas of the Sahara-Sahel: Geography, Economics and Security*, OECD, 2014.
Statoil ASA, *The In Amenas Attack: Report on the investigation into the terrorist attack on In Amenas*, February 2013.
UNODC, *Drug trafficking as a security threat in West Africa*, November 2008.
UNODC, *Estimating illicit financial flows resulting from drug trafficking and other transnational organized crimes*, October 2011.
UN Security Council, "Report of the assessment mission on the impact of the Libyan crisis on the Sahel region", S/2012/42, 18 January 2012.
UN Security Council, "Overview of Security Council Presidential Statements", S/PRST/2012/2, 21 February 2012.
UN Security Council, Resolution 2085（2012）, S/RES/2085, 20 December 2012.
UN Security Council, Resolution 2085（2012）, S/RES/2100, 25 April 2013.
WACD, *Not Just in Transit: Drugs, the State and Society in West Africa*, West Africa Commission on Drugs, 2014.
宮本正興・松田素二編『新書アフリカ史』講談社現代新書、1997

年
高橋基樹『開発と国家――アフリカ政治経済論序説』勁草書房、2010年
若桑遼「北アフリカのイスラーム急進派「マグリブ・イスラーム諸国のアル＝カーイダ」のウェブ上の声明分析――マリ紛争に関する声明の翻訳を付して」『サハラ地域におけるイスラーム急進派の活動と資源紛争の研究』日本国際問題研究所、2014年3月
勝俣誠『現代アフリカ入門』岩波書店、1991年
武内進一「アフリカの紛争に見る変化と継続――マリ、中央アフリカの事例から考える」大串和雄編著『21世紀の政治と暴力――グローバル化，民主主義，アイデンティティ』晃洋書房、2015年
桃井治郎『アルジェリア人質事件の深層――暴力の連鎖に抗する「否テロ」の思想のために』新評論、2015年

第3章

AfDB, OECD, UNDP and UNECA, *African Economic Outlook 2012*, 2012.
Andrianirina, R., *After Daewoo? Current status and perspectives of large-scale land acquisition in Madagascar*, ILC, 2011.
Berner, P., Dickinson, S., Andrianarimisa, A., *Business and Biodiversity Offsets Programme Case Study : the Ambatovy Project*, USAID, 2009.
Draper, R., "Madagascar's Pierced Heart", *National Geographic*, September 2010.（ドレイパー、ロバート「奪われるマダガスカルの天然資源」『ナショナル ジオグラフィック』2010年9月号）
FAO, *Statistical Yearbook 2014: Africa food and agriculture*, 2014.
Friends of the Earth, *Development recast? A review of the impact of*

the Rio Tinto ilmenite mine in Southern Madagascar, 2007.
Global Witness, *Investigation into the Global Trade in Malagasy Precious Woods: Rosewood, Ebony and Pallisander*, October 2010.
GTZ, *Foreign Direct Investment in Land in Madagascar*, GTZ (Deutsche Gesellschaft für Technische Zusammenarbeit), 2009.
Ross, A., "Madagascar, Where Child Prostitution is Common, Cheap and 'Trivial'", *Global Post*, January 31, 2014.
Ross, A., "Madagascar: A Cursed Land", Pulitzer Center on Crisis Reporting, February 15, 2014.
UNHRC, "Report of the Special Rapporteur on the sale of children, child prostitution and child pornography", A/HRC/25/48/Add.2, December 23, 2013.
小山直樹『マダガスカル島――西インド洋地域研究入門』東海大学出版会、2009年
飯田卓・深澤秀夫・森山工編著『マダガスカルを知るための62章』明石書店、2013年
福田邦夫「アフリカの苦悩から世界をみる」『経済』No.225、新日本出版社、2014年6月号

第4章

Auty, R.M., *Resource Abundance and Economic Development*, Oxford University Press, 2001.
BP, *Statistical Review of World Energy*, June 2019.
Destanne de Bernis, G., "Les industries industrialisantes et les options algériennes", *Tiers-Monde*, tome 12, n°47, 1971.
Joffé, G., "The Outlook for Algeria", *Istituto Affari Internazionali Working Papers*, 15/38, 2015.
Kepel, G., *Jihad: Expansion et déclin de l'islamisme*, Gallimard, 2001.（ケペル、ジル『ジハード――イスラム主義の発展と衰

退』丸岡高弘訳、産業図書、2006年）
Martinez, L., "Algérie : les illusions de la richesse pétrolière", *Les Études du CERI*, n° 168, septembre 2010.
Office National des Statistiques (Algérie), *Activité, Emploi et Chômage, en Avril 2017*, No. 785, 2017.
Ross, M. L., *The Oil Curse: How Petroleum Wealth Shapes the Development of Nations*, Princeton University Press, 2013.（ロス、マイケル・L『石油の呪い――国家の発展経路はいかに決定されるか』松尾昌樹・浜中新吾訳、吉田書店、2017年）
Sachs, Jeffrey D. & Warner, Andrew M., "Natural Resource Abundance and Economic Growth", *NBER Working Paper 5398*, 1995.
Stora, B., *Histoire de l'Algérie coloniale, 1830–1954*, La Découverte, 1991., Stora B., *Histoire de la guerre d'Algérie, 1954–1962*, La Découverte, 1993., Stora B., Histoire de l'Algérie depuis l'indépendance, 1962–1988, La Découverte, 1994.（ストラ、バンジャマン『アルジェリアの歴史――フランス植民地支配・独立戦争・脱植民地化』小山田紀子・渡辺司訳、明石書店、2011年）
私市正年『北アフリカ・イスラーム主義運動の歴史』白水社、2004年
私市正年「アルジェリアのイスラーム急進派後退の背景」『Radical Islamist Research Report』Vol.10、2017年
私市正年編著『アルジェリアを知るための62章』明石書店、2009年
松尾昌樹『湾岸産油国――レンティア国家のゆくえ』講談社選書メチエ、2010年
桃井治郎『「バルバリア海賊」の終焉――ウィーン体制の光と影』風媒社、2015年
福田邦夫『独立後第三世界の政治・経済過程の変容――アルジェ

リアの事例研究』西田書店、2006年
渡辺伸『アルジェリア危機の10年——その終焉と再評価』文芸社、2002年

第5章

Amnesty International, *Chains of Abuse: The global diamond supply chain and the case of the Central African Republic*, 2015.
Bain & Company, *The Global Diamond Industry 2017: The enduring story in a changing world*, 2017.
Braeckman, C., *Le Dinosaure: Le Zaïre de Mobutu*, Fayard, 1992.
Dietrich, C., *Hard Currency: The Criminalized Diamond Economy of the Democratic Republic of the Congo and its Neighbours*, Partnership Africa Canada, 2002.
Global Witness, *Conflict Diamonds: Possibilities for the Identification, Certification and Control of Diamonds*, Working Document, 2000.
IRC, *Mortality in the Democratic Republic of Congo: Results from a Nationwide Survey*, International Rescue Committee, 2003.
Le Billon, P., "Diamond Wars? Conflict Diamonds and Geographies of Resource Wars", *Annals of the Association of American Geographers*, 2008.
Montague, D., "Stolen Goods: Coltan and Conflict in the Democratic Republic of Congo", *SAIS Review*, Vol. 22, No. 1, 2002.
PAC, *All That Glitters is Not Gold: Dubai, Congo and the Illicit Trade of Conflict Minerals*, Partnership Africa Canada, 2014.
Swedwatch, *Childhood Lost: Diamond mining in the Democratic Republic of the Congo and weaknesses of the Kimberley Process*, #83, 2016.
Zoellner, T., *The Heartless Stone: A Journey Through the World of Diamonds, Deceit, and Desire*, Macmillan, 2007.

武内進一『現代アフリカの紛争と国家　ポストコロニアル家産制国家とルワンダ・ジェノサイド』明石書店、2009年
吉田敦「ダイヤモンド――輝きの裏に隠された真実」佐藤幸男編『国際政治モノ語り――グローバル政治経済学入門』法律文化社、2011年

第６章

Batterbury S., and Ndi, F., "Land-grabbing in Africa", in Binns J., Lynch, K., and Nel, E., eds. *The Routledge Handbook of African Development*, London: Routledge, 2018.
Cotula, L., *Land deals in Africa: What is in the contracts?*, IIED, March 2011.
Fraser, E., *Moral Bankruptcy: World Bank reinvents tainted aid program for Ethiopia*, The Oakland Institute, 2016.
GRAIN, *Seized! The 2008 land grab for food and financial security*, October 2008.
GRAIN, *The global farmland grab in 2016: How Big, How Bad?*, June 2016.（船田クラーセンさやか「2016年グローバルな農地収奪：広さと深刻度に関する考察」2017年10月。ただし、本文では、船田氏の翻訳を参照しつつ、筆者が訳出した）
JICA, *JICA's World*, May 2012.
Land Matrix, *International Land Deals for Agriculture: Fresh insights from the Land Matrix: Analytical Report II*, 2016.
Ministério da Agricultura e Segurança Alimentar, *Plano Director Para o Desenvolvimento Agrário do Corredor de Nacala em Moçambique Esboço Versão 0*, 2015.（モザンビーク国 農業食料安全保障省『モザンビーク国　ナカラ回廊農業開発マスタープラン策定支援　ドラフトマスタープラン　バージョン０』JICAによる仮訳、2015年）
Mousseau, F., *The highest bidder takes it all: The World Bank's*

scheme to privatize the commons, The Oakland Institute, 2019.
Rowden, R., *India's Role in the New Global Farmland Grab*, August 2011.
Swedwatch, *No business, No rights*, #86, November 2017.
World Bank, *Rising Global Interest in Farmland: Can It Yield Sustainable and Equitable Benefits?*, 2011.
World Bank, *Enabling the Business of Agriculture 2017*, 2017.
池上甲一「大規模海外農業投資による食農資源問題の先鋭化とアグロ・フード・レジームの再編」『農林業問題研究』49（3)、2013年
ＮＨＫ食料危機取材班『ランドラッシュ――激化する世界農地争奪戦』新潮社、2010年
サックス、ジェフリー『貧困の終焉――2025年までに世界を変える』鈴木主税・野中邦子訳、早川書房、2006年

あとがき

Trefon, T., *Congo Masquerade: The Political Culture of Aid Inefficiency and Reform Failure*, Zed Books, 2011.

ちくま新書
1504

アフリカ経済《けいざい》の真実《しんじつ》
——資源《しげん》開発《かいはつ》と紛争《ふんそう》の論理《ろんり》

二〇二〇年七月一〇日　第一刷発行

著者　吉田敦（よしだ・あつし）
発行者　喜入冬子
発行所　株式会社　筑摩書房
東京都台東区蔵前二-五-三　郵便番号一一一-八七五五
電話番号〇三-五六八七-二六〇一（代表）
装幀者　間村俊一
印刷・製本　三松堂印刷　株式会社

ISBN978-4-480-07319-8 C0233

ちくま新書

1449
インディアンとカジノ
――アメリカの光と影
野口久美子
ラスベガスを上回る、年間3兆円のビッグ・ビジネスはなぜ生まれたのか。インディアンの歴史を跡づけ、その意義となおも残る困難を明らかにする。

1483
韓国　現地からの報告
――セウォル号事件から文在寅政権まで
伊東順子
セウォル号事件、日韓関係の悪化、文在寅政権下の分断……2014～2020年のはじめまで、何が起こり、人びとは何を考えていたのか？　現地からの貴重なレポート。

1440
二重国籍と日本
国籍問題研究会編
旧態依然かつ不透明な国籍法の運用で、国籍を剝奪されたり、無国籍者に陥る悲劇やナショナリズムに絡めたバッシングが発生している。どこに問題があるか。

1430
世界最強組織のつくり方
――感染症と闘うグローバルファンドの挑戦
國井修
一九九〇年代に猛威を振るった三大感染症を撲滅するために設立された「グローバルファンド」。戦略局長として活躍する著者が世界最強の組織の条件を解き明かす。

1393
教養としての政治学入門
成蹊大学法学部編
いま政治学では何が問題になっているのか。政治史・政治理論・国際政治・福祉・行政学・地方自治などの専門研究者が12のテーマで解説する、知の最先端への道案内。

1372
国際法
大沼保昭
いまや人々の生活にも深く入り込んでいる国際法。「生きた国際法」を誰にでもわかる形で、体系的に説き明かした待望の入門書。日本を代表する研究者による遺作。

1236
日本の戦略外交
鈴木美勝
外交取材のエキスパートが読む世界史ゲームのいま。「歴史」の和解と打算、機略縦横の駆け引き、舞台裏で支えるキーマンの素顔……。戦略的リアリズムとは何か！

935
ソ連史
松戸清裕
二〇世紀に巨大な存在感を持ったソ連。「冷戦の敗者」「全体主義国家」の印象で語られがちなこの国の内実を丁寧にたどり、歴史の中での冷静な位置づけを試みる。

1278
フランス現代史　隠された記憶
――戦争のタブーを追跡する
宮川裕章
第一次大戦の遺体や不発弾処理で住めない村。第二次大戦の対独協力の記憶。見捨てられたアルジェリアのフランス兵アルキ……。等身大の悩めるフランスを活写。

1082
第一次世界大戦
木村靖二
第一次世界大戦こそは、国際体制の変化、女性の社会進出、福祉国家化などをもたらした現代史の画期である。戦史的経過と社会的変遷の両面からたどる入門書。

1177
カストロとフランコ
――冷戦期外交の舞台裏
細田晴子
キューバ社会主義革命の英雄と、スペイン反革命の指導者。二人の「独裁者」の密かなつながりとは何か。未開拓の外交史料を駆使して冷戦下の国際政治の真相に迫る。

1347
太平洋戦争　日本語諜報戦
――言語官の活躍と試練
武田珂代子
太平洋戦争で活躍した連合国軍の言語官。収容所から集められた日系二世の葛藤、養成の違いに見る米英豪加の各国軍事情……。語学兵の実像と諜報戦の舞台裏。

1377
ヨーロッパ近代史
君塚直隆
なぜヨーロッパは世界を席巻することができたのか。「宗教と科学の相剋」という視点から、ルネサンスに始まり第一次世界大戦に終わる激動の五〇〇年を一望する。

1400
ヨーロッパ現代史
松尾秀哉
第二次大戦後の和解の時代が終焉し、大国の時代が復活し、危機にあるヨーロッパ。その現代史の全貌を、国際関係のみならず各国の内政との関わりからも描き出す。

ちくま新書

1193
移民大国アメリカ
西山隆行
止まるところを知らない中南米移民。その増加への不満がいかに米国社会を蝕みつつあるのか。米国の移民問題の全容を解明し、日本に与える示唆を多角的に分析する。

1331
アメリカ政治講義
西山隆行
アメリカの政治はどのように動いているのか。その力学を歴史・制度・文化など多様な背景から解説。アメリカン・デモクラシーの考え方がわかる、入門書の決定版。

1311
アメリカの社会変革
——人種・移民・ジェンダー・LGBT
ホーン川嶋瑤子
「チェンジ」の価値化——これこそがアメリカ文化の柱である。保守とリベラルのせめぎあいでダイナミックに動く、平等化運動から見たアメリカの歴史と現在。

1262
分解するイギリス
——民主主義モデルの漂流
近藤康史
EU離脱、スコットランド独立——イギリスは政治の機能不全で分解に向かいつつある。もはや英国議会政治は民主主義のモデルたりえないのか。危機の深層に迫る。

1327
欧州ポピュリズム
——EU分断は避けられるか
庄司克宏
反移民、反グローバル化、反エリート、反リベラルが世界を席巻！　EUがポピュリズム危機に揺れる理由は、その統治機構と政策にあった。欧州政治の今がわかる！

1477
EU離脱
——イギリスとヨーロッパの地殻変動
鶴岡路人
ついに離脱を現実のものとしたイギリスが失うものとはなにか？　一枚岩になれないEUはどうなるのか？　なお問題山積のヨーロッパの現在を最も正確に論じる。

1345
ロシアと中国　反米の戦略
廣瀬陽子
孤立を避け資源を売りたいロシア。軍事技術が欲しい中国。米国一強の国際秩序への対抗……。だが、中露蜜月の舞台裏では熾烈な主導権争いが繰り広げられている。

ちくま新書

1011
チャイニーズ・ドリーム
――大衆資本主義が世界を変える
丸川知雄
日本企業はなぜ中国企業に苦戦するのか。その秘密は、カネも技術もなくても起業に挑戦する普通の庶民のハングリー精神と、彼らが生み出すイノベーションにある！

1277
消費大陸アジア
――巨大市場を読みとく
川端基夫
中国、台湾、タイ、インドネシア……いま盛り上がるアジア各国の市場や消費者の特徴・ポイントを豊富な実例で解説する。成功する商品・企業は何が違うのか？

1431
習近平の中国経済
――富強と効率と公正のトリレンマ
石原享一
対米貿易戦争と成長鈍化で中国経済は重大な転機を迎えている。なぜ改革は行き詰まっているのか。中国は凋落していくのか。中国経済の矛盾を見つめ今後を展望する。

1438
日本を救う未来の農業
――イスラエルに学ぶＩＣＴ農法
竹下正哲
ドリップ灌漑を行い、センサーを駆使してＩｏＴクラウド農法で管理すれば、高齢化、跡継ぎ問題、そして、収益率や自給率など日本の農業問題は全てが解決する！

1185
台湾とは何か
野嶋剛
国力において圧倒的な中国・日本との関係を深化させる台湾。日中台の複雑な三角関係を波乱の歴史、台湾の社会・政治状況から解き明かし、日本の針路を提言。

1258
現代中国入門
光田剛編
あまりにも変化が速い現代中国。その実像を政治史、文化、思想、社会、軍事等の専門家がわかりやすく解説。歴史から最新情勢までバランスよく理解できる入門書。

1498
香港と日本
――記憶・表象・アイデンティティ
銭俊華
二〇一九年から続くデモ、中国大陸の同化政策、日本のサブカルチャーの受容や大日本帝国の記憶……香港出身の研究者が香港の現在と「日本」を考察する。

ちくま新書

900
日本人のためのアフリカ入門
白戸圭一
負のイメージで語られることの多いアフリカ。しかし、それらはどこまで本当か？　メディアの在り方を問い直しつつ「新しいアフリカ」を紹介する異色の入門書。

1428
アフリカを見る　アフリカから見る
白戸圭一
もはやアフリカは哀れみの目で「援助」する対象ではない。アフリカ諸国の過去と現在をどうとらえ、日本はどうかかわっていくべきか。篠田英朗氏との対談も収録。

1382
南スーダンに平和をつくる
――「オールジャパン」の国際貢献
紀谷昌彦
二〇一一年に独立した新興国南スーダン。その平和構築の現場では何が起こり必要とされているのか。前駐在大使が支援の最前線での経験と葛藤を伝える貴重な証言。

1240
あやつられる難民
――政府、国連、ＮＧＯのはざまで
米川正子
いま世界の難民は国連と各国政府、人道支援団体の間で翻弄されている。難民本位の支援はなぜ実現しないのか。アフリカ現地での支援経験を踏まえ、批判的に報告する。

1033
平和構築入門
――その思想と方法を問いなおす
篠田英朗
平和はいかにしてつくられるものなのか。武力介入や犯罪処罰、開発援助、人命救助など、その実際的手法と背景にある思想をわかりやすく解説する、必読の入門書。

1111
平和のための戦争論
――集団的自衛権は何をもたらすのか？
植木千可子
「戦争をするか、否か」を決めるのは、私たちの責任になる。集団的自衛権の容認によって、日本と世界はどう変わるのか？　現実的な視点から徹底的に考えぬく。

1314
世界がわかる地理学入門
――気候・地形・動植物と人間生活
水野一晴
気候、地形、動植物、人間生活……気候区分ごとに世界各地の自然や人々の暮らしを解説。世界を旅する地理学者による、写真や楽しいエピソードも満載の一冊！